GEORGE ORWELL

NA PIOR EM PARIS E LONDRES

IBC – INSTITUTO BRASILEIRO DE CULTURA LTDA
CNPJ 04.207.648/0001-94
Avenida Juruá, 762 – Alphaville Industrial
CEP. 06455-907 – Barueri/SP
www.revistaonline.com.br

Presidente: Paulo Roberto Houch
MTB 0083982/SP

(redacao@editoraonline.com.br)
Programadora Visual: Evelin Cristine Ribeiro
Impresso por: Edigráfica
Vendas: Tel.: (11) 3393-7723 (vendas@editoraonline.com.br)

Todos os direitos reservados.

Dados Internacionais de Catalogação na Publicação (CIP)
(eDOC BRASIL, Belo Horizonte/MG)

O79n Orwell, George, 1903-1950.
    Na pior, em Paris e Londres / George Orwell. – Barueri, SP: Camelot, 2021.
    240 p. : 13,5 × 20,5 cm

    Título original: Down and out in Paris and London
    ISBN 978-65-87817-08-8

    1. Pobres - França - Paris 2. Pobres - Inglaterra - Londres 3.Paris (França) - Condições sociais 4. Londres (Inglaterra) - Condições sociais. I. Título.
                                            CDD 914.436

Elaborado por Maurício Amormino Júnior – CRB6/2422

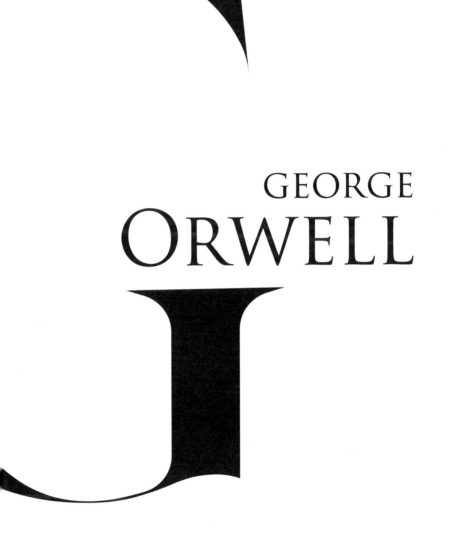

GEORGE
ORWELL

NA PIOR EM
PARIS E LONDRES

"... PEGUEI NOSSA MOEDA DE 25 CÊNTIMOS E COMPREI MEIO QUILO DE BATATAS. O ÁLCOOL NA ESPIRITEIRA ERA SUFICIENTE PARA AFERVENTÁ-LAS, E NÃO TÍNHAMOS SAL, MAS AS DEVORAMOS COM CASCA E TUDO."

Introdução

Mais do que a descrição da dura realidade do dia a dia de vida de mendigo, George Orwell faz um estudo antropológico e sociológico de quem vive nas ruas. Apresenta diferenças e semelhanças da realidade indigente das cidades de Paris e Londres, com autoridade de quem provou na carne a situação.

Só quem experimentou longo convívio diário com a mendicância pode falar dos truques usados para preservar o mínimo de dignidade na aparência, como pintar a pele no lugar em que o sapato está furado, para não revelar a realidade cruel.

Na Pior em Paris e Londres detalha minuciosamente como as coisas funcionam quando a pessoa chega a penhorar a roupa que veste ou a lâmina com que se barbeia para ter alguns trocados para não dormir na rua. Descreve a indescritível sensação de fome absoluta, sujeira e odores de albergues.

Também mostra a esperança dos que esperam uma vaga de emprego prometido, por pior que seja. Retrata a garra de quem trabalha além dos limites que o corpo permite quando consegue ser contratado.

Uma ficção com base na realidade europeia de há quase oitenta anos. Infelizmente uma situação que permanece e piora no mundo de hoje.

Capítulo 1

"Em meio ao barulho e à sujeira, viviam os costumeiros comerciantes franceses respeitáveis, padeiros, tintureiros e assemelhados, quietos na deles e acumulando em surdina pequenas fortunas. Era um bairro parisiense miserável bem típico."

Rue du Coq d'Or, Paris, sete da manhã. Uma sequência de gritos furiosos, e sufocantes vem da rua. Madame Monce, que cuida do hotelzinho que fica em frente ao meu, saiu na calçada para falar com uma hóspede do terceiro andar. Seus pés descalços estão presos em tamancos e os cabelos grisalhos escorridos estão soltos.

Madame Monce:

– Salope salope! Quantas vezes já disse para não esmagar insetos no papel de parede? Você pensa que é dona do hotel, é? Por que não joga os bichos pela janela, como todo mundo? Putain! Salope!.

– Vache!.– grita a mulher do terceiro andar.

Em seguida, acontece a maior baderna, com berros, enquanto janelas se abrem por toda parte e metade da rua entra na briga. Dez minutos depois, de repente se calam, quando uma tropa da cavalaria passa pela rua. e as pessoas param de gritar para olhar.

Descrevi essa cena apenas para transmitir um pouco do espírito da Rue du Coq d'Or. Não que brigas fossem a única coisa que acontecia ali – mas, mesmo assim, era raro passar uma manhã sem ao menos uma explosão parecida. Brigas e pregões desolados de vendedores ambulantes, a gritaria das crianças correndo atrás de cascas de laranja sobre o calçamento de pedras arredondadas. À noite, a rua era tomada pela cantoria alta e o fedor dos carros de lixo. Era uma rua muito estreita – uma ravina de casas altas e leprosas, inclinadas umas em direção às outras de modo estranho, como se tivessem sido congeladas no meio de um colapso. Todas as casas eram hotéis, apinhados até o teto de hóspedes, em sua maioria poloneses, árabes e italianos. No térreo dos hotéis havia bistrôs minúsculos, onde se podia ficar bêbado pelo equivalente a um xelim. Nas noites de sábado, cerca de um terço da população masculina do bairro se embebedava. Havia brigas por causa de mulheres, e os trabalhadores braçais árabes que moravam nos hotéis mais baratos costumavam levar adiante rixas misteriosas e travá-las com cadeiras e, ocasionalmente, revólveres. À noite, os policiais só passavam pela rua aos pares. Era um lugar bem turbulento. Em meio ao barulho e à sujeira, viviam os costumeiros comerciantes franceses respeitáveis, padeiros, tintureiros e assemelhados, quietos na deles e acumulando em surdina pequenas fortunas. Era um bairro parisiense miserável bem típico.

Eu morava em um hotel chamado Hôtel des Trois Moineaux. Era um labirinto escuro e frágil de cinco andares, com divisórias de madeira que separavam o espaço em quarenta quartos. Eram quartos pequenos e sempre sujos, pois não havia faxineiras, e Madame F.,a dona, não tinha tempo para limpar nada. As paredes eram finas como madeira de caixas de fósforos e, para esconder as rachaduras, haviam sido recobertas por camadas e mais camadas de papel rosa, que se soltava e abrigava muitos insetos. Perto do teto, longas filas desses insetos marchavam o dia inteiro, como colunas de soldados, e à noite caíam sobre nós com um apetite devastador, de tal modo que precisávamos levantar de tempos em tempos e matá-los aos punhados. Quando os insetos eram demais, os hóspedes costumavam queimar enxofre e espantá-los para o quarto ao lado; então, o hóspede vizinho revidava, enxofrava o seu quarto e mandava os percevejos de volta. Era um lugar imundo mas acolhedor, pois Madame F. e seu marido eram boa gente. O aluguel dos quartos variava entre trinta e cinquenta francos por semana.

Os hóspedes não eram fixos, estrangeiros na maioria, que costumavam aparecer sem malas, ficavam uma semana e sumiam. Eram de todos os tipos: sapateiros, pedreiros, canteiros, trabalhadores braçais, estudantes, prostitutas, trapeiros. Alguns eram muito pobres. Em um dos sótãos vivia um estudante búlgaro que fabricava calçados finos chiques para o mercado americano. Ficava sentado na cama das seis ao meio-dia, fazendo uma dezena de pares de sapatos para ganhar 35 francos, No resto do dia, frequentava palestras na Sorbonne e estudava teologia. Os livros se espalhavam pelo chão repleto de pedaços de couro. Em outro quarto, moravam uma mulher russa e seu filho, que se dizia artista. A mãe trabalhava dezesseis horas por dia cerzindo meias a 25 cêntimos o pé, enquanto o filho, decentemente vestido, vadiava pelos cafés de Montparnasse. Tinha um quarto que era dividido por dois inquilinos: um trabalhava de dia, o outro à noite. Em outro quarto, uma viúva dividia a mesma cama com as duas filhas crescidas, ambas tuberculosas.

Tipos esquisitos eram o mais comum por ali. Os bairros pobres de Paris são ponto de encontro de pessoas excêntricas – gente que caiu em trilhas solitárias e meio malucas da vida e desistiu de tentar ser normal ou decente. A pobreza as liberta dos padrões usuais de comportamento, assim como o dinheiro liberta as pessoas do trabalho. Alguns hóspedes de nosso hotel levavam vidas bem curiosas.

Por exemplo, o casal Rougier, idosos e baixinhos, que tinham um comércio diferenciado. Costumavam vender cartões-postais no bulevar St. Michel. O curioso é que os vendiam em pacotes fechados, como se fossem pornográficos, mas na verdade eram fotografias de castelos da região do Loire; os compradores só descobriam isso tarde demais e, é claro, jamais reclamavam. Os Rougier faturavam uns cem francos por semana e, com uma economia rígida, conseguiam estar sempre meio famintos e meio bêbados. A imundície do quarto deles era tanta que se sentia o mau cheiro no andar de baixo. De acordo com Madame F., fazia quatro anos que eles não trocavam de roupas.

Henri, era um sujeito alto e tristonho, de cabelos encaracolados, com certo ar romântico em suas botas de cano alto que usa no trabalho. Ele lidava com esgotos. de Henri era não falar por dias a fio, exceto por motivos de trabalho. Havia apenas um ano, tinha um bom emprego de motorista e vinha guardando dinheiro. Um dia, apaixonou-se e quando se viu rejeitado pela garota perdeu o controle e deu-lhe um chute. Ao levar o pontapé, a garota se apaixonou incrivelmente por Henri e, por quinze dias, viveram juntos e gastaram mil francos das economias dele. Então, a garota o traiu; Henri enfiou-lhe uma faca no braço e foi parar na prisão por seis meses. Com a facada, a garota ficou mais apaixonada que nunca, os dois fizeram as pazes e resolveram que, quando saísse da cadeia, Henri compraria um táxi, eles se casariam e iriam morar juntos. Mas, quinze dias depois, a garota foi infiel de novo, e quando Henri saiu da prisão ela estava grávida. Henri não a esfaqueou novamente. Tirou tudo o dinheiro da poupança, desandou a beber e acabou na cadeia por mais um mês. Depois disso, foi trabalhar nos esgotos. Nada o fazia falar. Se lhe perguntavam por que trabalhava nos esgotos, não respondia, apenas cruzava os pulsos, para simbolizar algemas, e apontava com a cabeça na direção da prisão. A má sorte parecia tê-lo deixado abobado em um único dia.

    Um inglês que vivia seis meses por ano em Putney, com os pais, e seis meses na França era conhecido como R. Na temporada francesa, bebia quatro litros de vinho por dia e seis litros aos sábados. Certa vez, fora até os Açores, porque lá o vinho era mais barato do que em qualquer lugar da Europa. Era um sujeito gentil, caseiro, nunca grosseiro ou encrenqueiro, e jamais sóbrio. Ficava na cama até o meio-dia, e daí até a meia-noite instalava-se no seu canto do bistrô, embebedando-se com tranquilidade e método. Enquanto entornava, conversava com uma voz feminina e refinada sobre mobiliário antigo. Com exceção de mim, R. era o único inglês no bairro.

    Tinha muitas outras pessoas que levavam uma vida tão excêntrica quanto aquelas: o sr. Jules, o romeno, que tinha um olho de vidro, mas não admitia; Fureux, o pedreiro Liniousin; Roucolle, o sovina – mas ele morreu antes da minha época; o velho Laurent, negociante de trapos, que costumava copiar sua assinatura de um pedaço de papel que carregava no bolso. Seria interessante escrever algumas dessas biografias, se alguém tivesse tempo. Tento descrever as pessoas de nosso bairro não por mera curiosidade, mas porque fazem parte dessa história. A pobreza é o meu tema, e foi nesse bairro miserável que tive meu primeiro contato com ela. O bairro miserável com sua imundície e suas vidas incomuns, foi minha primeira lição prática de pobreza e, depois, a base de minhas experiências. Por isso tento mostrar como era a vida ali.

Na Pior em Paris e Londres

Capítulo 2

"– Para onde vai um homem quando tem dinheiro? A bordéis, naturalmente. Mas vocês pensam que eu perderia meu tempo em algum antro vulgar, adequado apenas a operários?"

Vamos falar da vida no bairro. Nosso bistrô, por exemplo, aos pés do Hôtel des Trois Moineaux, era uma sala bem pequena, com piso de tijolos, meio subterrânea, com mesas molhads de vinho e a fotografia de um enterro com a legenda "Crédit est mort"; e trabalhadores com faixas vermelhas na cintura cortando linguiças com grandes canivetes; e Madame F., uma esplêndida camponesa do Auvergne com o rosto de uma vaca resoluta, bebendo Malaga "para o estômago" o dia inteiro; e jogos de dados como aperitivo; e canções sobre "Les fraises et les framboises" e sobre Madelon, aquela que disse: "Comment épouser un soldat, moi qui aime tout le régiment?"; e namoros absurdamente públicos.

Conversas estranhas se espalhavam no bistrô. Como exemplo, apresento Charlie, uma das curiosidades locais. Era um jovem de boa família e educação que fugira de casa e vivia de mesadas eventuais. Imaginem-no muito rosado e jovem, com as bochechas viçosas e os cabelos macios e castanhos de um garotinho bonitinho e lábios excessivamente vermelhos e úmidos como cerejas. Seus pés são minúsculos, os braços, anormalmente curtos, as mãos têm covinhas, como as de um bebê. Tem um jeito de dançar e saltitar enquanto fala, como se estivesse tão feliz e cheio de vida que não pudesse ficar quieto um minuto. São três da tarde e não há ninguém no bistrô, exceto Madame F. e um ou dois desempregados, mas para Charlie não importa com quem conversa, desde que possa falar de si mesmo. Discursa como um orador numa barricada, enrolando as palavras na língua e gesticulando com seus braços curtos. Os olhos pequenos e que pareciam de porquinho brilham de entusiasmo. De certa forma, é profundamente desagradável vê-lo. Falava de amor, seu tema preferido:

– Ah, *l'amour, l'amour! Ah, que les femmes m'ont tué!* Infelizmente, *messieurs et dames,* as mulheres foram minha ruína, irremediavelmente minha ruína. Aos 22 anos, estou totalmente gasto e acabado. Mas quanta coisa aprendi, em que abismos de sabedoria não despenquei! Que coisa formidável é adquirir a verdadeira sabedoria, tornar-se, no mais elevado sentido da palavra, um homem civilizado, tornar-se *raffiné, vicieux* etc. etc. Messieurs et dames, percebo que vocês estão tristes. Ah, mais *la vie est belle* – não devem ficar tristes. Sede mais alegres, eu vos imploro!

" *Fill high ze bowl vid Samian vine,
Ve vil not sink of semes like zese!* "

– Ah *que la vie est belle!* Escutem, *messieurs et dames,* com a plenitude da minha experiência vou discursar sobre o amor. Explicar-vos-ei qual o verdadeiro sentido do amor – qual a verdadeira sensibilidade, o deleite mais alto e refinado que somente é conhecido pelos homens civilizados. Contar-vos-ei sobre o dia mais feliz de minha vida. Infelizmente, já se foi o tempo em que eu podia conhecer tal felicidade. Foi-se para sempre – a própria possibilidade, até mesmo o desejo de senti-la, foram-se.

– Há dois anos; meu irmão estava em Paris – ele é advogado – e meus pais lhe pediram que me encontrasse e me levasse para jantar. Escutem! Nós nos odiamos, meu irmão e eu, mas ele preferiu não desobedecer a meus pais. Jantamos e, durante o jantar, ele ficou muito bêbado com três garrafas de Bordeaux. Levei-o de volta ao hotel e, no caminho, comprei uma garrafa de conhaque; quando chegamos, fiz meu irmão beber um copo inteiro – disse-lhe que era uma coisa para deixá-lo sóbrio. Ele bebeu o conhaque e imediatamente caiu no chão, como que desmaiado, totalmente bêbado. Levantei-o e o apoiei na cama; então, revirei seus bolsos. Encontrei mil e cem francos, peguei-os, desci correndo as escadas, tomei um táxi e fugi. Meu irmão não sabia meu endereço – eu estava salvo.

– Para onde vai um homem quando tem dinheiro? A bordéis, naturalmente. Vocês pensam que eu perderia meu tempo em algum lugar vulgar, frequentado por operários? Não me confundam, sou um homem civilizado! Eu era fastidioso, *exigeant,* entendem, com mil francos no bolso. Já era meia-noite quando finalmente achei o que procurava. Eu havia encontrado um jovem muito inteligente de dezoito anos, vestido en smoking e com os cabelos cortados à *la américaine,* e ficamos conversando num bistrô tranquilo, longe dos bulevares. Entendemo-nos muito bem, aquele jovem e eu. Conversamos sobre isso e aquilo e discutimos maneiras de nos divertir. Logo tomamos um táxi juntos e partimos.

– O táxi parou numa rua estreita e solitária com uma única lâmpada a gás piscando no final. Estava cheia de poças escuras entre as pedras. De um lado havia uma parede alta e sem janelas de um convento. Meu guia conduziu-me a uma casa alta e arruinada, com janelas fechadas por tapumes, e bateu várias vezes na porta. Ouviu-se então o som de passos e o estrépito de ferrolhos, e a porta entreabriu-se. Uma mão grande e deformada saiu pela fresta e manteve a palma aberta diante de nossos narizes, exigindo dinheiro. Meu guia pôs o pé entre a porta e o batente.

'– Quanto você quer?
– Mil francos! Paguem tudo agora ou não entram.
– Coloquei mil francos na mão e dei os cem restantes ao meu guia; ele disse boa-noite e me deixou. Escutei a voz lá dentro contando as notas e depois uma velha magra e toda de preto, como um corvo, pôs o nariz para fora e me olhou com suspeição antes de me deixar entrar. Estava muito escuro lá dentro; eu não conseguia ver nada, exceto um bico de gás que iluminava um pedaço de parede de gesso, deixando todo o resto numa sombra profunda. Havia um cheiro de rato e poeira. Sem dizer palavra, a velha acendeu uma vela no bico de gás, depois coxeou à minha frente por um corredor de pedra até o alto de um lance de degraus de pedra.

– *Voilà!*, disse; desça ao porão e faça o que quiser. Não verei nada, não escutarei nada, não saberei de nada. Você é livre, compreende – perfeitamente livre.

– Ah, *messieurs,* será preciso que eu lhes conte – *forcément,* vocês mesmos conhecem – esse arrepio, metade terror, metade prazer, que sentimos em momentos como esse? Desci lentamente, tenteando o caminho; ouvia minha respiração e o arrastar de meus pés nas pedras; o resto era silêncio. No final da escadaria, minha mão encontrou um interruptor elétrico. Girei-o e um grande lustre de doze globos vermelhos inundou o porão com sua luz vermelha. E eis que eu não estava num porão, mas num quarto, num quarto grande, rico e vistoso, pintado de vermelho-sangue de alto a baixo. Imaginai, *messieurs et dames!* Tapete vermelho no chão, papel vermelho nas paredes, pelúcia vermelha nas cadeiras, até o teto era vermelho. Vermelho por toda parte, queimando os olhos. Era um vermelho pesado, sufocante, como se a luz brilhasse através de globos de sangue.

Na extremidade oposta havia uma enorme cama quadrada, com colchas também vermelhas, e sobre ela jazia uma garota, vestida com uma túnica de veludo vermelho. Ao me ver, ela se encolheu e tentou esconder os joelhos sob o vestido curto.

– Eu havia parado à porta. 'Venha aqui, minha franguinha', chamei. Ela deu um gemido de medo. De um salto, eu estava ao lado da cama; ela tentou me evitar, mas a agarrei pelo pescoço – assim, estão vendo? –, apertado! Ela se debateu, começou a pedir misericórdia, mas segurei firme, forçando sua cabeça para trás e olhando fixo em seu rosto. Tinha vinte anos, talvez; seu rosto era o rosto largo e apático de uma criança estúpida, mas estava recoberto com tinta e pó de arroz, e seus olhos azuis e estúpidos, que brilhavam sob a luz vermelha, tinham essa expressão chocada e distorcida que só se vê nos olhos dessas mulheres. Era uma camponesa, sem dúvida, que os pais haviam vendido como escrava.

– Sem outra palavra, puxei-a da cama e a joguei no chão. E então caí sobre ela como um tigre! Ah, a satisfação, o incomparável enlevo daquele momento! Eis, *messieurs et dames*, eis aqui o que vou vos expor; *voilà l'amour*! Eis o verdadeiro amor, eis a única coisa no mundo pela qual vale a pena lutar; eis a coisa ao lado da qual todas as suas artes e ideais, todas as suas filosofias e crenças, todas as suas belas palavras e gestos nobres tornam-se tão pálidos e inúteis como cinzas. Quando se experimentou o amor – o verdadeiro amor –, o que resta no mundo que não pareça mais do que uma sombra do prazer?

– De modo cada vez mais selvagem, reiniciei o ataque. Repetidas vezes a garota tentou escapar; gritou novamente por piedade, mas ri de suas súplicas.

– Piedade!, disse eu, 'você acha que vim aqui para mostrar piedade? Acha que paguei mil francos para isso?' Juro-vos, *messieurs et dames*, que, não fosse pela maldita lei que nos rouba a liberdade, eu a teria matado naquele momento.

– Ah, como ela gritou, que gritos pavorosos. Mas não havia ninguém para escutá-los; ali, sob as ruas de Paris, estávamos tão seguros como no coração de uma pirâmide. Lágrimas rolaram pelas faces da garota, levando consigo o pó de arroz em longas manchas coloridas. Ah, que momento inesquecível! Vós, *messieurs et dames,* vós que não cultivastes as sensibilidades mais finas do amor, para vós tal prazer é quase inconcebível. E eu também, agora que minha juventude se foi – ah, a juventude! –, jamais verei de novo vida tão linda como aquela. Está acabada.

– Ah, sim, foi-se, foi-se para sempre. Ah, a pobreza, a pouca duração, o desapontamento da alegria humana! Pois na realidade – *car en réalité,* o que é a duração do supremo momento do amor? Não é nada, um instante, um segundo talvez. Um segundo de êxtase, e depois disso – pó, cinzas, nada.

– E dessa forma, só por um momento tive a suprema felicidade, a emoção mais elevada e mais refinada que os seres humanos podem atingir. E no mesmo momento ela estava acabada, e eu fiquei – com o quê? Toda a minha selvageria, toda a minha paixão estava espalhada como pétalas de rosa. Fiquei frio e lânguido, cheio de arrependimentos vãos; em minha revulsão, senti mesmo uma espécie de piedade pela garota que chorava no chão. Não causa náuseas o fato de que sejamos presas de emoções assim tão inferiores? Não voltei a olhar para a garota; meu único pensamento era ir embora. Subi apressadamente os degraus da abóbada e saí para a rua. Estava escuro e terrivelmente frio, as ruas vazias, as pedras ecoavam sob meus calcanhares com um repique surdo e solitário. Todo o meu dinheiro se fora. Não tinha nem para o táxi. Voltei a pé sozinho para meu quarto frio e solitário.

– Vejam aqui, *messieurs et dames,* o que prometi vos expor. Isso é o amor. Aquele foi o dia mais feliz de minha vida.

Ele era um tipo diferente, o Charlie. Descrevi-o somente para mostrar como se podia encontrar tipos tão diferentes habitando o bairro do Coq d'Or.

Capítulo 3

"O italiano pagou as diárias e ficou seis noites no hotel. Durante esse período, conseguiu fazer algumas cópias de chaves e, na última noite, roubou uma dezena de quartos, inclusive o meu."

Fiquei morando no bairro do Coq d'Or mais ou menos um ano e meio. Certo dia, no verão, percebi que me sobravam apenas 450 francos e, afora isso, nada mais do que os 36 francos por semana que eu ganhava dando aulas de inglês. Antes, não havia pensado no futuro, mas naquele momento percebi que precisava tomar alguma providência imediata. Decidi procurar um emprego e tive a precaução – muito acertada, como se revelou depois – de pagar duzentos francos por um mês de aluguel adiantado. Com os outros 250 francos, além das aulas de inglês, eu poderia viver um mês, prazo em que provavelmente encontraria trabalho. Pretendia me tornar guia em uma das agências de turismo ou talvez intérprete. Porém, um episódio de má sorte impediu meu plano.

Certo dia, apareceu no hotel um jovem italiano que se dizia compositor. Era uma pessoa um tanto ambígua, pois usava costeletas, que podem ser a marca tanto de um apache como de um intelectual, e ninguém sabia ao certo em que categoria classificá-lo. Madame F. não gostou da aparência dele e o obrigou a pagar uma semana de aluguel adiantado. O italiano pagou as diárias e ficou seis noites no hotel. Durante esse período, conseguiu fazer algumas cópias de chaves e, na última noite, roubou uma dezena de quartos, inclusive o meu. Felizmente, não achou o dinheiro que estava em meus bolsos, então não fiquei sem nada. Sobraram-me apenas 47 francos, ou seja, sete xelins e dez pence.

Acabaram os meus planos de procurar emprego. Precisava agora sobreviver com cerca de seis francos por dia, e no início foi difícil pensar em outra coisa. Foi então que minha experiência de pobreza começou, pois seis francos por dia, se não é a verdadeira pobreza, está à beira disso. Seis francos correspondem a um xelim, e é possível viver com um xelim por dia em Paris se você souber como. Mas é um negócio complicado.

É bem interessante o primeiro contato com a pobreza. Você pensou tanto sobre ela – é uma coisa que você temeu a vida inteira, uma coisa que sabia que ia acontecer mais cedo ou mais tarde, e ainda assim é tudo tão completa e prosaicamente diferente. Achava que iria ser bem simples; é extraordinariamente complicado. Você achava que ia ser terrível; é apenas imundo e chato. A primeira coisa que descobre é a baixeza peculiar da pobreza, as mudanças que ela impõe, a complicada mesquinhez, o desnudamento de si mesmo. Descobre, por exemplo, a invisibilidade da pobreza.

De uma hora para outra foi reduzido a uma renda de seis francos por dia. Mas não ousa admitir isso – tem de continuar fingindo que nada mudou em sua vida. Desde o início, se enreda numa teia de mentiras e até com mentiras que mal consegue controlar. Você para de mandar roupas à lavanderia e a atendente o encontra na rua e pergunta o motivo; aí, gagueja alguma explicação e ela, achando que você está mandando a roupa para outro lugar, torna-se sua inimiga para o resto da vida. O dono da tabacaria pergunta sempre por que diminuiu o fumo. Há cartas que quer responder, mas não pode, porque os selos são caros demais. E tem a questão das refeições – as refeições são a dificuldade maior. Todos os dias, na hora das refeições, sai, presumivelmente para um restaurante, e vaga durante uma hora nos jardins de Luxemburgo, olhando para os pombos. Depois, leva sua comida escondida nos bolsos para dentro do hotel. Sua comida é pão e margarina, ou pão e vinho, e até o tipo de comida é gerido por mentiras. Precisa comprar pão de centeio, em vez de pão comum, porque os pãezinhos de centeio, embora mais caros, são redondos e cabem no bolso. Isso faz com que desperdice um franco por dia. Às vezes, para manter as aparências, precisa gastar sessenta cêntimos em um drinque, e tem de cortar essa quantia da comida. Seus lençóis ficam imundos, e acabam o sabão e as lâminas de barbear. Seus cabelos precisam de corte e você tenta cortar sozinho, com resultados tão terríveis que se vê obrigado a ir ao barbeiro de qualquer jeito, e gasta o equivalente a um dia de comida. Conta mentiras o tempo todo, e mentiras caras.

Descobre a extrema precariedade de seus seis francos diários. Desastres banais acontecem e o deixam sem comida. Gastou seus últimos oitenta cêntimos em meio litro de leite e o está fervendo numa espiriteira. Nesse momento, um inseto desce pelo seu antebraço; você dá um piparote no inseto e ele, ploft!, cai direto no leite. Não há nada a fazer senão jogar o leite fora e ficar com fome.

Vai à padaria comprar meio quilo de pão e espera até que a atendente corte o pão para outro cliente. Ela é desajeitada e corta mais de meio quilo.

– P*ardon, monsieur*, diz ela, suponho que o senhor não se importe de pagar dois soldos a mais...

Meio quilo de pão custa um franco e você tem exatamente um franco. Quando você pensa que podem lhe pedir para pagar dois soldos a mais, e tem de confessar que não pode, você entra em pânico. Demora horas até que ouse a se aventurar numa padaria outra vez.

Vai à quitanda com um franco para gastar num quilo de batatas. Mas uma das moedas que completam o franco é belga e o quitandeiro a recusa. Você escapole da loja e não pode mais voltar lá.

Você se perdeu e foi parar num bairro melhor, e vê um amigo próspero que se aproxima. Para evitá-lo, se esconde no café mais próximo. Lá dentro, precisa comprar alguma coisa, então gasta seus últimos cinquenta cêntimos num copo de café com uma mosca morta dentro. Dá para multiplicar esses desastres às centenas. Fazem parte do constrangimento de não ter dinheiro.

Percebe o que é sentir fome. Com pão e margarina no estômago, sai e olha as vitrines. Por toda parte, há comida te insultando em pilhas imensas, perdulárias: leitões inteiros, cestas de pães quentes, grandes blocos amarelos de manteiga, fieiras de salsichas, montanhas de batatas, vastos queijos Gruyère do tamanho de rebolos. Diante de tanta comida, uma lamurienta autocomiseração o invade. Você planeja pegar um pão, sair correndo e engoli-lo antes que o alcancem; e só não o faz por pura covardia.

Descobre o tédio que é inseparável da pobreza, nas vezes em que não tem nada para fazer e, mal alimentado, não consegue se interessar por nada. Durante metade do dia, fica deitado na cama, sentindo-se como o *jeune squelette* do poema de Baudelaire. Somente comida seria capaz de despertá-lo. Você descobre que um homem que passou uma semana a pão e margarina não é mais um homem, mas apenas uma barriga com alguns órgãos acessórios.

È a vida com seis francos por dia, tudo no mesmo estilo descrito até aqui. Em Paris, milhares de pessoas vivem desse jeito – artistas e estudantes batalhadores, prostitutas quando estão sem sorte, gente desempregada de todos os tipos. São os arredores, por assim dizer, da pobreza.

Fiquei nesse ritmo por cerca de três semanas. Os 47 francos logo acabaram e tive de me virar com apenas os 36 francos semanais das aulas de inglês. Inexperiente, administrei mal o dinheiro e às vezes passava um dia sem comer. Quando isso acontecia, costumava vender algumas de minhas roupas, levando-as escondidas em embrulhos pequenos até um brechó da Rue de la Montagne St. Geneviève. O dono da loja era um judeu ruivo, um homem muito desagradável, que costumava ter ataques de fúria quando via um cliente. Do modo como reagia, era de se supor que cometíamos um insulto ao procurá-lo.

– *Merde!*, costumava gritar, você aqui de novo? O que pensa que isto aqui é? Sopa dos pobres?

E pagava preços absurdamente baixos. Por um chapéu que eu havia comprado por 25 xelins e mal havia usado, ele me deu cinco francos; por um bom par de sapatos, cinco francos; pelas camisas, um franco cada uma. Sempre preferia trocar em vez de comprar, e usava o truque de enfiar algum artigo inútil em suas mãos e depois fingir que você o aceitara. Certa vez, o vi pegar um bom sobretudo de uma mulher idosa, pôr duas bolas de bilhar brancas nas mãos dela e depois empurrá-la rapidamente para fora da loja, antes que ela pudesse protestar. Teria sido um prazer achatar o nariz do judeu, se alguém pudesse se dar ao luxo disso.

Vivi três semanas sórdidas e ruins, mas era evidente que o pior estava por vir, pois meu aluguel não demoraria a vencer de novo. No entanto, as coisas ficaram muito piores do que eu esperava, pois quando se aproxima da pobreza faz uma descoberta que supera algumas outras. Conhece o tédio, e as complicações mesquinhas e os primórdios da fome, conhece também o grande aspecto redentor da pobreza: o fato de que ela aniquila o futuro. Dentro de certos limites, é mesmo verdade que, quanto menos dinheiro tem, menos se preocupa. Quando possui cem francos, fica à mercê dos mais covardes pânicos. Quando tudo o que você tem na vida são apenas três francos, se torna bem indiferente: três francos vão alimentá-lo até o dia seguinte e você não pode pensar adiante disso. Fica entediado, mas não tem medo. Pensa vagamente: "Em um ou dois dias estarei morrendo de fome – chocante, não?". E então a mente divaga por outros assuntos. Uma dieta de pão e margarina proporciona, em certa medida, seu próprio analgésico.

Existe outra sensação que consola quem está na pobreza. Acredito que todos que ficaram sem dinheiro já sentiram. É um sentimento de alívio, quase de prazer ao saber que está, por fim, totalmente na pior. Tantas vezes falou sobre entrar pela tubulação e, bem, aqui está a tubulação, você entrou nela e é capaz de aguentar. Isso elimina um bocado de ansiedade.

Capítulo 4

"Entregava-se o objeto a ser penhorado no balcão e sentava-se para aguardar. Dentro em pouco, depois de fazer a avaliação, o balconista chamava: "Número tal, você aceita cinquenta francos?."

De repente, minhas aulas de inglês acabaram. A temperatura começava a esquentar e um de meus alunos, sentindo-se preguiçoso demais para continuar com as aulas, me dispensou. O outro desapareceu do quarto onde morava sem avisar, quando me devia doze francos. Fiquei só com trinta cêntimos, e sem cigarros. Durante um dia e meio não tive nada para comer nem fumar e então, faminto demais para aguentar, juntei o resto de minhas roupas numa mala e levei-as para a casa de penhores. Isso acabou com toda a minha pretensão de fugir pelos fundos, pois não poderia tirar minhas roupas do hotel sem pedir licença para Madame F. Lembro, porém, como ela ficou surpresa com o fato de eu pedir, em vez de retirar as roupas às escondidas, pois sair de fininho à noite era um golpe comum por ali.

Foi a primeira vez que eu entrei numa casa de penhores francesa. Atravessava-se um grandioso portal de pedra (com a inscrição, é claro, "*Liberté, égalité, fraternité*" – eles escrevem isso até nas delegacias de polícia) e chegava-se a uma grande sala nua, parecida com uma sala de aula, com um balcão e fileiras de bancos. Havia umas quarenta ou cinquenta pessoas esperando. Entregava-se o objeto a ser penhorado no balcão e sentava-se para aguardar. Dentro em pouco, depois de fazer a avaliação, o balconista chamava: "Número tal, você aceita cinquenta francos?". Às vezes eram apenas quinze francos, ou dez, ou cinco – o que quer que fosse, toda a sala ficava sabendo. Quando entrei, o balconista chamava com ar ofendido: "Número 83 – aqui!", com assobio curto e um aceno, como se chamasse um cão. O Número 83 se aproximou do balcão; era um velho barbudo, com um sobretudo abotoado até o pescoço e as bainhas das calças puídas. Sem dizer uma palavra, o atendente jogou o pacote por cima do balcão – evidentemente, não valia nada. O pacote se abriu, exibindo quatro calças de lã. Ninguém conseguiu deixar de rir. O coitado do Número 83 juntou suas roupas e arrastou-se para a saída, resmungando consigo mesmo.

As roupas que eu havia levado junto com a mala, haviam custado mais de vinte libras esterlinas e estavam em boas condições. Achei que deviam valer dez libras, e um quarto disso (espera-se um quarto do valor numa loja de penhores) equivalia a 253 francos. Aguardei sem ansiedade, esperando duzentos francos, na pior das hipóteses. Por fim, o atendente me chamou: "Número 97!".

– Sim, disse eu, me levantando.
– Setenta francos?

Só setenta francos por roupas que valiam dez libras! Mas não adiantava discutir: eu tinha visto outra pessoa tentar argumentar e o balconista recusara o penhor. Peguei o dinheiro e a cautela e saí. Agora, eu não tinha mais roupas, exceto a que estava usando – o paletó gasto no cotovelo –, um sobretudo, moderadamente penhorável, e uma camisa de reserva. Posteriormente, quando já era tarde demais, fiquei sabendo que é mais negócio ir a uma casa de penhores à tarde. Os empregados são franceses e estão de mau humor enquanto não almoçam, como acontece com a maioria dos franceses.

Quando voltei em casa, Madame F. estava varrendo o bistrô. Ela subiu a escada para me encontrar. Percebi, pelo seu olhar, que estava preocupada com meu aluguel.

– Quanto você conseguiu pelas roupas? Não muito, não é?
– Duzentos francos, respondi prontamente.
– *Tiens!*, disse ela, surpresa. Nada mau. Como devem ser caras essas roupas inglesas!

A mentira me poupou muita confusão e, por estranho que pareça, ela se tornou verdadeira. Dias depois, recebi exatamente duzentos francos que me deviam por um artigo de jornal e, embora tenha sido doloroso fazer isso, paguei cada tostão desse dinheiro em aluguel. Assim, embora eu quase tivesse morrido de fome nas semanas seguintes, não fiquei sem teto.

Era necessário que eu encontrasse trabalho e me lembrei de um amigo, um garçom russo chamado Bóris, que talvez pudesse me ajudar. Eu o conhecera na enfermaria de um hospital público, onde ele estava se tratando de artrite na perna esquerda. Havia me dito para procurá-lo se estivesse em dificuldades.

Bóris era um tipo interessante e foi meu amigo durante muito tempo. Era um homem de mais ou menos 35 anos, alto, aguerrido, que havia sido bonito, mas que desde a doença engordara demais por passar muito tempo deitado na cama. Tal como a maioria dos refugiados russos, tivera uma vida de aventuras.

Seus pais, mortos na revolução, haviam sido ricos e ele servira durante a guerra no Segundo Corpo de Fuzileiros Siberianos, que, segundo ele, era o melhor regimento do Exército russo. Depois da guerra, havia trabalhado numa fábrica de vassouras, depois como carregador no Les Halles e lavador de pratos, até que, por fim, conseguiu ser promovido a garçom. Quando adoeceu, estava no Hotel Scribe e ganhava cem francos por dia em gorjetas. Sua ambição era se tornar maître d'hôtel, economizar 50 mil francos e montar um pequeno e seleto restaurante na Rive Droite.

Ele costumava falar da guerra como a época mais feliz de sua vida. Guerra e vida militar eram suas paixões; havia lido inumeráveis livros de estratégia e história militar e era capaz de falar sobre as teorias de Napoleão, Kutuzof, Clausewitz, Moltke e Foch. Tudo o que dissesse respeito a soldados lhe agradava. Seu café preferido era o Closerie des Lilas, em Montparnasse, simplesmente porque tinha na frente uma estátua do marechal Ney. Mais tarde, Bóris e eu íamos, às vezes, à Rue du Commerce. Se íamos de metrô, ele descia sempre na estação Cambronne, em vez de na Commerce, embora esta ficasse mais próxima; gostava da associação com o general Cambronne, que, ao receber a ordem de se render em Waterloo, respondeu com um simples "Merde".

Da revolução Bóris só ficou com umas medalhas e algumas fotografias de seu antigo regimento, que havia conservado quando todo o resto fora para o prego. Quase todos os dias, espalhava as fotos sobre a cama e comentava:

– *Voilà, mon ami!* Aqui você me vê à frente da minha companhia. Beleza de homões, hein? Não são como esses pequenos ratos franceses. Capitão aos vinte – nada mau, hein? Sim, capitão do Segundo de Fuzileiros Siberianos; e meu pai era coronel.

– Ah, mais, *mon ami,* os altos e baixos da vida! Capitão du Exército russo e então, puff!, a revolução – tudo perdido. Em 1916, fiquei uma semana no hotel Edouard Sept; em 1920, procurei emprego de guarda-noturno ali. Fui vigia noturno, adegueiro, esfregador de chão, lavador de pratos, carregador, atendente de banheiro. Dei gorjeta a garçons e recebi gorjeta de garçons.

– Ah, mas sei o que é viver como um cavalheiro, *mon ami*. Não digo isso para me vangloriar, mas outro dia tentei calcular quantas amantes tive na vida e concluí que foram mais de duzentas. Sim, pelo menos duzentas... Ah, mas ça *reviendra*. A vitória é daquele que luta mais tempo. Coragem! etc. etc.

Bóris tinha uma personalidade esquisita, mutável. Sempre quis voltar ao Exército, mas também fora garçom por tempo suficiente para adquirir a aparência de um garçom. Embora jamais tivesse economizado mais do que uns poucos mil francos, tinha certeza de que acabaria montando seu restaurante e ficaria rico. Todos os garçons, descobri depois, falam e pensam nisso; é o que os reconcilia com o fato de serem garçons. Bóris costumava falar de forma interessante sobre a vida no hotel:

– Ser garçom é uma loteria: você pode morrer pobre ou pode fazer fortuna em um ano. Não ganha salário, depende de gorjetas – dez por cento da conta e uma comissão das companhias vinícolas sobre rolhas de champanhe. Às vezes as gorjetas são enormes. O barman do Maxim's, por exemplo, faz quinhentos francos por dia. Mais de quinhentos na temporada... Eu mesmo já fiz duzentos francos por dia. Foi num hotel de Biarritz, durante a temporada. Toda a equipe, do gerente aos *plongeur*s, trabalhava 21 horas por dia. Vinte e uma horas de trabalho e duas horas e meia na cama, durante um mês inteiro. Mesmo assim, valeu a pena, a duzentos francos por dia.

– Você nunca sabe quando vai acontecer um golpe de sorte. Certa vez, quando eu estava no hotel Royal, um freguês americano me chamou antes do jantar e encomendou vinte e quatro coquetéis de conhaque. Levei-os todos juntos numa bandeja, em vinte e quatro copos. 'Agora, garçom', disse o cliente (estava bêbado), 'vou beber doze e você vai beber doze, e se conseguir caminhar até a porta depois disso, ganha cem francos.' Caminhei até a porta e ele me deu os cem francos. E durante seis dias fez a mesma coisa, todas as noites: doze coquetéis e depois cem francos. Meses depois, ouvi dizer que fora extraditado pelo governo americano – desfalque. Há alguma coisa de admirável nesses americanos, não acha?"

Eu gostava de Bóris e tínhamos momentos interessantes juntos, jogando xadrez e conversando sobre guerra e hotéis.

Bóris sugeria com frequência que eu me tornasse um garçom:

— Ia fazer bem para você. Quando se tem trabalho, com cem francos por dia e uma bela amante, não é nada mau. Você diz que quer escrever. Escrever é asneira. Só há uma maneira de ganhar dinheiro escrevendo, e é casar com a filha do editor. Mas você podia ser um bom garçom se tirasse esse bigode. Você é alto e fala inglês – são as principais coisas que um garçom precisa. Espere até eu poder dobrar esta maldita perna, *mon ami*. E então, se alguma vez ficar sem emprego, me procure.

Como eu estava devendo o aluguel e ficando com fome, lembrei da sugestão de Bóris e decidi procurá-lo logo. Não esperava me tornar garçom com a facilidade com que ele prometera, mas é claro que eu sabia lavar pratos e ele certamente me conseguiria um emprego na cozinha. Ele havia dito que, no verão, haveria falta de lavador de pratos. Era um grande alívio lembrar que eu tinha, afinal, um amigo influente a quem recorrer.

Capítulo 5

"O QUARTO ERA UM SÓTÃO DE TRÊS METROS QUADRADOS, ILUMINADO APENAS POR UMA CLARABOIA, E SUA MOBÍLIA SE RESUMIA A UMA ESTREITA CAMA DE FERRO, UMA CADEIRA E UM LAVATÓRIO COM UMA PERNA MANCA."

Bóris me dera um endereço na Rue du Marché des Blancs Manteaux. Tudo o que havia dito em sua carta era que "as coisas não vão tão mal", e presumi que ele estava de volta ao hotel Scribe, embolsando seus cem dólares diários. Eu estava cheio de esperanças e me perguntava por que fora tão idiota de não ter procurado Bóris antes. Imaginei-me em um restaurante acolhedor, com cozinheiros alegres cantando canções de amor enquanto quebravam ovos na frigideira, e cinco refeições sólidas por dia. Cheguei mesmo a esbanjar 2,5 francos num maço de Gauloises Bleues por conta do meu futuro salário.

Caminhei de manhã até a Rue du Marché des Blancs Manteaux; com um choque, descobri que era uma ruela tão miserável quanto a minha. O hotel de Bóris era o mais imundo da rua. De sua entrada escura saía um cheiro desprezível e acre, uma mistura de restos de cozinha com sopa sintética – era Bouillon Zip, 25 cêntimos o pacote. Um receio me assaltou. Gente que toma Bouillon Zip está morrendo de fome, ou perto disso. Estaria Bóris de fato ganhando cem dólares por dia? Um sujeito mal-humorado, sentado no escritório, me disse, sim, o russo estava em casa – no sótão. Subi seis lances de uma escada estreita em espiral, o Bouillon Zip ficando mais forte à medida que eu subia. Bóris não respondeu quando bati na porta, então abri e entrei.

O quarto era um sótão de três metros quadrados, iluminado apenas por uma claraboia, e sua mobília se resumia a uma estreita cama de ferro, uma cadeira e um lavatório com uma perna manca. Uma longa fila em S de percevejos marchava lentamente pela parede, acima da cama. Bóris dormia nu, e sua grande barriga formava um morro embaixo do lençol encardido. Seu peito estava salpicado de mordidas de insetos. Assim que entrei, ele acordou, esfregou os olhos e soltou um gemido profundo.

– Meu Deus!, exclamou, ai, meu Deus, minhas costas! Maldição, acho que minha coluna está quebrada!

– O que você tem? – perguntei.

– Minhas costas estão quebradas, só isso. Passei a noite no chão. Ai, meu Deus! Se você soubesse como minhas costas doem!

– Meu querido Bóris, você está doente?

– Doente não, só faminto – sim, à beira de morrer de fome se isso continuar por muito tempo. Além de dormir no chão, tenho vivido com dois francos por dia nas últimas semanas. É terrível. Você veio num mau momento, *mon ami*.

Não tinha sentido perguntar se Bóris ainda estava empregado no hotel Scribe. Desci as escadas correndo e comprei um pão. Bóris atirou-se sobre o pão e comeu metade; depois disso, sentiu-se melhor, sentou-se na cama e me contou o seu problema. Não conseguira um emprego depois de sair do hospital porque ainda estava muito coxo, gastara todo o seu dinheiro, empenhara tudo e, por fim, estava passando fome havia vários dias. Dormira uma semana no cais, sob a ponte de Austerlitz, entre alguns barris de vinho vazios. Nos últimos quinze dias, estava morando nesse quarto com um judeu, um mecânico. Parece (deu uma explicação complicada) que o judeu lhe devia trezentos francos e os estava pagando deixando que dormisse no chão e lhe dando dois francos por dia para comer. Com dois francos, dava para comprar uma tigela de café e três pãezinhos. O judeu saía para trabalhar às sete da manhã e então Bóris saía do lugar onde dormia (embaixo da claraboia, que deixava passar chuva) e ia para a cama. Nem ali conseguia dormir muito, por causa dos percevejos, mas descansava um pouco as costas.

Havia procurado Bóris para pedir ajuda e o encontrava em situação pior do que a minha. Expliquei que me sobravam apenas cerca de sessenta francos e que precisava de um emprego imediatamente. A essa altura, porém, Bóris já comera o resto do pão e se sentia animado e loquaz. Disse sem pensar:

– Meu Deus, com que você está preocupado? Sessenta francos – ora essa, é uma fortuna! Por favor, me passe aquele sapato, *mon ami*. Vou esmagar alguns desses insetos, se chegarem perto.

– E você acha que há alguma chance de eu conseguir emprego?

– É uma certeza. Na verdade, já tenho uma coisa. Há um restaurante russo que vai abrir daqui a poucos dias na Rue du Commerce. É *une chose entendue* que serei o *maître d'hôtel*. Posso conseguir facilmente um emprego para você na cozinha. Quinhentos francos por mês e comida – gorjetas também, se tiver sorte.

– E enquanto isso? Não demora vou ter que pagar o aluguel.

– Tenho algumas cartas na manga. Há pessoas que me devem dinheiro, por exemplo – Paris está cheia delas. Uma deve me pagar logo. Depois, pense em todas as mulheres que foram minhas amantes! Uma mulher nunca esquece, você sabe – só preciso pedir e elas me ajudarão. Além disso, o judeu me disse que vai roubar alguns magnetos da oficina em que trabalha e nos pagará cinco francos por dia para limpá-los antes de ele vendê-los. Só isso já daria para nos manter. Não se preocupe, *mon ami*. Nada é mais fácil de conseguir do que dinheiro. Ah, vamos achar alguma coisa.

– Nesse caso vamos sair agora e procurar um emprego.

– Daqui a pouco, *mon ami*. Não vamos morrer de fome, não fique com medo. São apenas percalços de guerra – estive em buracos piores vezes sem conta. É só uma questão de persistir. Lembre-se da máxima de Foch: *'Attaquez! Attaquez!! Attaquez!'*.

Era meio-dia quando Bóris decidiu se levantar. Toda a roupa que lhe restava agora era um terno, uma camisa, colarinho e gravata, um par de sapatos gastos e um par de meias que eram só buracos. Tinha também um sobretudo, que seria penhorado em último caso. Tinha uma mala, uma coisa lamentável de papelão de vinte francos, mas muito importante, pois o *patron* do hotel achava que estava cheia de roupas – sem isso, provavelmente teria jogado Bóris na rua. O que ela continha, na verdade, eram medalhas e fotografias, várias miudezas e enormes pacotes de cartas de amor. Apesar de tudo isso, Bóris conseguia manter uma aparência minimamente elegante. Fez a barba sem sabão e com uma lâmina velha de dois meses, deu um nó na gravata que escondia os furos e forrou cuidadosamente os sapatos com jornal. Pegou um vidro de tinta e pintou os calcanhares onde eram visíveis os furos nas meias. Diante daquela figura, você não imaginaria que há pouco ele havia dormido sob as pontes do Sena.

Chegamos a um pequeno café da Rue de Rivoli, um conhecido ponto de encontro de gerentes e empregados de hotéis. Nos fundos, havia um salão escuro, parecido com uma caverna, onde estavam sentados os mais variados tipos de empregados de hotel – garçons jovens e elegantes, outros não tão elegantes e obviamente famintos, cozinheiros gordos e rosados, lavadores de pratos ensebados, faxineiras velhas e gastas. Todos tinham um copo de café preto intocado diante de si. O lugar era, com efeito, uma agência de empregos, e o dinheiro gasto nas bebidas era a comissão do patron. De vez em quando, um sujeito corpulento e com ar importante, obviamente o dono de restaurante, entrava e falava com o barman, e este chamava uma das pessoas que estavam nos fundos do café. Mas ele nunca chamou Bóris ou eu, e fomos embora depois de duas horas, pois a etiqueta mandava que você não ficasse mais que duas horas por drinque. Soubemos depois, quando já era tarde demais, que o lance era subornar o barman; se você lhe desse vinte francos, ele arranjaria um emprego.

No hotel Scribe esperamos uma hora na calçada, na esperança de que o gerente saísse, mas ele não apareceu. Então nos arrastamos até a Rue du Commerce, só para descobrir que o novo restaurante, que estava sendo redecorado, estava fechado e o *patron* longe dali. Já era noite. Havíamos caminhado catorze quilômetros de calçadas e nos sentíamos tão cansados que tivemos de gastar um franco e meio para ir de metrô para casa. Caminhar era uma agonia para Bóris, com sua perna manca, e à medida que o dia passava seu otimismo ia definhando cada vez mais. Quando descemos do metrô, na Place d'Italie, ele estava desesperado. Começou a dizer que era inútil procurar trabalho – não havia solução senão tentar o crime.

– Antes roubar do que morrer de fome, *mon ami*. Planejei muitas vezes isso. Um americano rico e gordo – algum canto escuro de Montparnasse – uma pedra numa meia – bang! E depois examinar seus bolsos e fugir rapidamente. É possível, não acha? Eu não hesitaria – fui soldado, não se esqueça.

Mas logo ele desistiu do plano, porque éramos ambos estrangeiros e nos reconheceriam com facilidade. Quando voltamos ao meu quarto, gastamos mais um franco e meio com pão e chocolate. Bóris devorou sua parte e logo se animou, como por magia; a comida parecia agir em seu organismo de modo tão rápido quanto um aperitivo. Pegou um lápis e começou a fazer uma lista de pessoas que provavelmente nos dariam empregos. Havia dezenas delas, disse ele.

– Amanhã acharemos alguma coisa, *mon ami*, tenho certeza. A sorte sempre muda. Além disso, nós dois somos inteligen-

tes – um homem inteligente não pode morrer de fome.
– O que um homem inteligente não pode fazer! A inteligência transforma qualquer coisa em dinheiro. Tive um amigo, um polaco, um homem realmente genial; imagine o que ele costumava fazer. Comprava um anel de ouro e empenhava por quinze francos. Depois – você sabe como os balconistas são descuidados quando preenchem a cautela –, onde o atendente havia escrito 'en or', ele acrescentava 'et diamants' e alterava 'quinze francos' para 'quinze mil'. Simples, hein? Então, veja você, ele podia tomar emprestado mil francos dando como garantia a cautela. Isso é o que eu chamo de inteligência...

Bóris ficou animado o resto da noite, falando dos bons momentos que passaríamos quando fôssemos garçons juntos em Nice ou Biarritz, com quartos elegantes e dinheiro suficiente para sustentar amantes. Estava cansado demais para voltar a pé para seu hotel e passou a noite no chão do meu quarto, com o paletó enrolado nos sapatos para usar como travesseiro.

Capítulo 6

"Certa ocasião, quase conseguimos um emprego para limpar vagões de trem, mas no último momento nos trocaram por franceses."

Demorou três semanas para que nossa sorte mudasse. Meus duzentos francos me salvaram da encrenca do aluguel, mas todo o resto andou de mal a pior. Dia após dia, Bóris e eu percorríamos Paris para cima e para baixo, perambulando a três quilômetros por hora através da multidão, entediados e famintos, e sem achar nada. Um dia, lembro bem, atravessamos o Sena onze vezes. Perdemos horas diante de saídas de serviço, e quando o gerente aparecia nos insinuávamos até ele de boné na mão. Obtínhamos sempre a mesma resposta: não queriam um homem manco nem um sujeito sem experiência. Certa vez, quase fomos contratados. Enquanto falava com o gerente, Bóris se manteve ereto, sem se apoiar na bengala, e o gerente não viu que ele era coxo.

— Sim, disse ele, queremos dois homens nas adegas. Talvez vocês sirvam. Entrem.

Então Bóris se mexeu e o jogo acabou.

— Ah, disse o gerente, você manca. Malheureusement...

Colocamos nossos nomes em agências e respondemos a anúncios, mas demorávamos demais para ir a pé a todos os lugares, e parecia que perdíamos todos os empregos por meia hora de atraso. Quase conseguimos um emprego para limpar vagões de trem, mas no último momento nos trocaram por franceses. Outra vez, respondemos a um anúncio que procurava ajudantes de circo. Era para mudar a posição dos bancos e limpar o lixo e, durante o espetáculo, ficar de pé em cima de dois barris e deixar o leão saltar entre suas pernas. Quando chegamos ao local, uma hora antes do prazo, encontramos uma fila de cinquenta homens à espera. Certamente há alguma atração nos leões.

Uma vez, uma agência em que eu deixara meu nome meses antes me mandou telegrama falando-me de um cavalheiro italiano que queria aulas de inglês. Dizia "venha imediatamente" e prometia vinte francos por hora. Bóris e eu estávamos desesperados. Aquela era uma chance incrível e eu não poderia aproveitá-la, pois seria impossível ir até a agência com meu paletó rasgado no cotovelo. Então nos lembramos que eu poderia usar o paletó de Bóris — não combinava com minhas calças, mas como elas eram cinza poderiam passar por flanela a curta distância. O casaco ficou tão grande em mim que precisei usá-lo desabotoado e manter uma mão no bolso. Apressei-me e desperdicei 75 cêntimos numa passagem de ônibus para ir à agência. Quando cheguei lá, soube que o italiano tinha mudado de ideia e fora embora de Paris.

Um dia, Bóris sugeriu que eu deveria ir até o Les Halles para tentar um emprego de carregador. Cheguei às quatro e meia da manhã, quando começava o turno de trabalho. Ao ver um sujeito baixo e gordo de chapéu-coco dando instruções a alguns carregadores, dirigi-me a ele e pedi trabalho. Antes de responder, ele pegou minha mão direita e examinou a palma.

– Você é forte, hein? –, disse.
– Muito forte, menti.
– *Bien*. Quero ver você levantar aquele engradado.

Era um cesto enorme de vime cheio de batatas. Segurei-o e descobri que, além de não conseguir erguê-lo, eu não conseguia sequer movê-lo. O homem de chapéu-coco me observou, depois deu de ombros e virou as costas. Fui embora. Depois que me havia afastado um pouco, olhei para trás e vi quatro homens levantando o cesto para colocá-lo num carro. O cesto devia pesar uns 150 quilos. O homem havia percebido que eu não servia e fizera aquilo para se livrar de mim.

Às vezes, em seus momentos otimistas, Bóris gastava cinquenta cêntimos num selo e escrevia para uma de suas ex--amantes, pedindo dinheiro. Somente uma delas respondeu. Era uma mulher que, além de ter sido sua amante, lhe devia duzentos francos. Quando viu a carta e reconheceu a letra, Bóris ficou louco de esperança. Pegamos a carta e corremos ao quarto de Bóris para lê-la, como crianças com doces roubados. Bóris leu, depois me passou a carta em silêncio. Dizia:

"Meu pequeno e querido Lobo,
Com que prazer abri tua encantadora carta, lembrando-me dos dias de nosso amor perfeito e dos beijos tão ardentes que recebi de teus lábios. Tais lembranças ficam para sempre no coração, como o perfume de uma flor morta.
Em relação ao teu pedido de duzentos francos, infelizmente é impossível. Não imaginas, meu querido, como fico desolada ao saber de tuas dificuldades. Mas o que se pode fazer? Nes-

ta vida, que é tão triste, ninguém está livre de problemas. Eu também tenho minha parcela. Minha irmãzinha esteve doente e fomos obrigadas a pagar nem sei quanto ao médico. Ah, como sofreu a pobrezinha! Todo o nosso dinheiro se foi e estamos passando por dias muito difíceis.

Coragem, meu pequeno lobo, coragem sempre! Lembres que os dias ruins não são para sempre e o problema que parece tão terrível desaparecerá por fim.

Tenhas certeza, meu querido, que lembrarei sempre de ti. E recebas os mais sinceros abraços daquela que nunca deixou de te amar,
Yvonne

Bóris ficou tão decepcionado com a carta que ele foi direto para cama e não procurou mais por trabalho naquele dia.

Meus sessenta francos duraram uns quinze dias. Parei com a encenação de sair para ir a restaurantes e costumávamos comer no quarto, um de nós sentado na cama, o outro na cadeira. Bóris contribuía com seus dois francos e eu com três ou quatro, e comprávamos pão, batatas, leite e queijo, e fazíamos sopa em minha espiriteira. Tínhamos uma caçarola, uma tigela para café e uma colher; todos os dias, encenávamos uma disputa bem-educada sobre quem deveria comer na caçarola e quem usaria a tigela (na caçarola cabia mais), e todos os dias, para minha raiva secreta, Bóris desistia primeiro e ficava com a caçarola. Às vezes, tínhamos mais pão à noite, às vezes não. Nossos lençóis estavam ficando imundos e fazia três semanas que eu não tomava banho; Bóris, pelo que me disse, não tomava banho havia meses. Era o fumo que tornava tudo tolerável. Tínhamos muitos cigarros, pois algum tempo antes Bóris encontrara um soldado e havia comprado dele vinte ou trinta maços a cinquenta cêntimos cada um. Os soldados recebem cigarro de graça.

Tudo aquilo era pior para Bóris do que para mim. As caminhadas e as noites dormidas no chão mantinham sua perna e suas costas sempre doloridas e, com seu vasto apetite russo, sofria tormentos de fome, embora não parecesse emagrecer. No geral, era incrivelmente alegre e demonstrava uma enorme capacidade de manter a esperança. Costumava dizer a sério que tinha um santo padroeiro que cuidava dele, e quando as coisas ficavam ruins procurava dinheiro na sarjeta, crendo que o santo muitas vezes jogava uma moeda de dois francos ali. Um dia, estávamos esperando na Rue Royale; havia um restaurante russo nas proximidades, onde iríamos pedir emprego. De repente, Bóris decidiu entrar na Madeleine e acender uma vela de cinquenta cêntimos para seu santo protetor. Depois, ao sair, disse que ia se cercar por todos os lados e solenemente queimou um selo de cinquenta cêntimos, como sacrifício aos deuses imortais. Talvez os deuses e os santos não se dessem muito bem; de qualquer modo, não conseguimos o emprego.

Bóris caía no mais profundo desespero em alguns dias. Ficava deitado na cama quase chorando, e amaldiçoava o judeu com quem morava. Nos últimos tempos, o judeu se tornara impaciente quanto a pagar os dois francos diários e, o que era pior, começara a assumir ares intoleráveis de condescendência. Bóris disse que eu, como inglês, não podia entender a tortura que era para um russo de boa família estar à mercê de um judeu.

– Um judeu, *mon ami*, um verdadeiro judeu! E ele nem tem a capacidade de se envergonhar disso. Pensar que eu, um capitão do Exército russo – já lhe contei, *mon ami*, que fui capitão do Segundo de Fuzileiros Siberianos? Sim, um capitão, e meu pai era coronel. E eis-me aqui, comendo o pão de um judeu. De um judeu...

– Vou dar um exemplo de como são os judeus. Uma vez, nos primeiros meses da guerra, estávamos em marcha e havíamos parado numa aldeia para dormir. Um judeu velho e horrível, com uma barba ruiva como a de Judas Iscariotes, entrou de mansinho no meu alojamento. Perguntei o que ele queria. 'Vossa senhoria', disse ele, 'eu trouxe uma mulher para o senhor, uma jovem linda de apenas dezessete anos. Custa só cinquenta francos.' 'Obrigado', eu disse, 'pode levá-la de volta. Não quero pegar nenhuma doença.' 'Doença!', exclamou o judeu, 'mais, *monsieur le capitaine*, não há por que temer isso. É minha própria filha!' Assim é o caráter nacional do judeu.

– Já lhe contei, *mon ami*, que no antigo Exército russo era considerado mau comportamento cuspir num judeu? Sim, achávamos que o cuspe de um oficial russo era precioso demais para ser desperdiçado nos judeus... etc. etc.

Nessa fases, Bóris costumava se declarar doente demais para sair à procura de trabalho. Ele ficava deitado até a noite nos lençóis sujos e repugnantes, fumando e lendo jornais velhos. Às vezes, jogávamos xadrez. Não tínhamos tabuleiro, mas anotávamos os lances num pedaço de papel; mais tarde, fizemos um tabuleiro com a lateral de uma caixa de papelão e um jogo de peças com botões, moedas belgas e coisas assim. Bóris , como muitos russos, tinha paixão pelo xadrez. Costumava dizer que as regras do xadrez eram as mesmas do amor e da guerra e que se você é capaz de vencer em um deles, pode vencer nos outros. Mas dizia também que se você tem um tabuleiro de xadrez, não se importa de passar fome, o que não se aplicava ao meu caso.

Capítulo 7

"É COMO SE NOS TRANSFORMÁSSEMOS NUMA ÁGUA-VIVA OU COMO SE NOSSO SANGUE TIVESSE SIDO TODO RETIRADO E SUBSTITUÍDO POR ÁGUA MORNA."

Meu dinheiro se desintegrou. Foi de oito francos para quatro francos, um franco, 25 cêntimos; e 25 cêntimos são inúteis, pois não compram nada mais que um jornal. Passamos vários dias a pão seco e depois fiquei dois dias e meio sem comer coisa alguma. Foi uma experiência horrível. Existem pessoas que, em busca de curas, fazem um jejum de três semanas ou mais, e dizem que jejuar é bem agradável depois do quarto dia; não posso confirmar, pois nunca fui além do terceiro. É provável que seja diferente quando o jejum é voluntário e não se está subnutrido desde o início.

No primeiro dia, inerte demais para procurar trabalho, tomei emprestada uma vara e fui pescar no Sena, usando moscas-varejeiras como isca. Esperava pescar o suficiente para uma refeição, mas é claro que não consegui. O Sena está cheio de peixes, mas eles ficaram espertos durante o cerco de Paris e desde então não se conseguiu mais apanhá-las, exceto com redes. No segundo dia, pensei em empenhar meu sobretudo, mas a loja de penhores parecia muito longe para ir a pé e passei o dia na cama, lendo as *Memórias de Sherlock Holmes*.

Era tudo que eu conseguia fazer sem comida. A fome nos deixa em uma condição de estupidez e falta de energia total, mais parecida com os efeitos da gripe do que qualquer outra coisa. É como se fôssemos uma água-viva ou como se nosso sangue tivesse sido todo retirado e substituído por água morna. Minha maior lembrança da fome é a inércia completa; e também a necessidade de cuspir com muita frequência, um cuspe curiosamente branco e flocoso, como uma baba espumosa de inseto. Não sei a razão disso, mas todos que passaram fome vários dias observaram esse fenômeno.

Na terceira manhã, me senti muito melhor. Percebi que deveria fazer alguma coisa imediatamente e decidi ir até Bóris e lhe pedir para compartilhar seus dois francos comigo, pelo menos por um ou dois dias. Quando cheguei, o encontrei na cama e furiosamente irado. Assim que entrei, explodiu, quase engasgando:

– Ele pegou de volta, o ladrão imundo! Ele pegou de volta!

– Quem pegou o quê?

– O judeu! Pegou meus dois francos, o cachorro, o ladrão! Ele me roubou enquanto eu dormia!

Parece que, na noite anterior, o judeu havia se recusado peremptoriamente a pagar os dois francos diários. Eles discutiram e, por fim, o judeu consentiu em ceder o dinheiro; havia feito isso, segundo Bóris , do modo mais ofensivo, com um pequeno discurso sobre como ele era bondoso e exigindo uma gratidão abjeta. Depois, de manhã, havia roubado o dinheiro antes que Bóris acordasse.

Foi um golpe. Fiquei horrivelmente decepcionado pois havia permitido que meu estômago esperasse por comida, um grande erro quando se está com fome. Porém, para minha surpresa, Bóris estava longe de se desesperar. Sentou-se na cama, acendeu seu cachimbo e examinou a situação.

— Escute, *mon ami*, estamos num aperto danado. Temos juntos apenas vinte e cinco cêntimos e não creio que o judeu vá me pagar os dois francos de novo. De qualquer modo, o comportamento dele está se tornando intolerável. Você acredita que outra noite ele cometeu a afronta de trazer uma mulher aqui, enquanto eu estava deitado no chão? O animal! E tenho uma coisa pior para lhe contar. O judeu pretende se mandar daqui. Ele deve uma semana de aluguel e sua ideia é não pagar e me dar o cano ao mesmo tempo. Se o judeu sumir, ficarei sem teto e o *patron* vai pegar minha mala em troca do aluguel, o maldito! Temos que tomar uma atitude drástica.

— O que podemos fazer? Parece-me que a única coisa a fazer é penhorar nossos sobretudos e conseguir um pouco de comida.

— Vamos fazer isso, é claro, mas primeiro preciso tirar minhas coias desta casa. Pensar que podem pegar minhas fotografias! Bem, meu plano está pronto. Vou me antecipar ao judeu e cair fora antes. *Foutre le camp* — recuar, entende? Acho que é a atitude correta, não?

— Mas como vai fazer isso, à luz do dia, Bóris? Vão pegar você.

— Temos que usar uma estratégia, claro. Nosso *patron* está de olho em gente que tenta escapar sem pagar o aluguel; já foi enganado desse jeito. Ele e a esposa se revezam o dia inteiro na portaria — como são miseráveis esses franceses! Mas pensei num jeito de fazer a coisa, se você me ajudar.

Eu não me sentia muito disposto a ajudar, mas perguntei a Bóris qual era o plano. Ele o explicou em detalhes.

– Vamos começar empenhando nossos sobretudos. Primeiro, você vai ao seu quarto e pega seu sobretudo, depois volta aqui, pega o meu e sai com ele escondido debaixo do seu. Leve-os à casa de penhor da Rue des Francs Bourgeois. Com sorte, você consegue vinte francos pelos dois. Em seguida, vá até as margens do Sena e encha os bolsos com pedras, depois traga-as de volta e ponha na minha mala. Vou enrolar em jornal o máximo das minhas coisas que eu puder carregar, vou descer e perguntar ao *patron* onde fica a lavanderia mais próxima. Serei bem descarado e despreocupado, entende, e é claro que o *patron* vai pensar que o embrulho só tem lençóis sujos. Ou, se suspeitar de alguma coisa, fará o que sempre faz, o miserável: irá até o meu quarto para sentir o peso da minha mala. E quando sentir o peso das pedras vai achar que ainda está cheia. Que estratégia, hein? Depois, mais tarde, posso voltar e levar o resto das minhas coisas nos bolsos.

– Mas e a mala?

– Ah, aquilo? Vamos ter de abandonar. Aquela coisa custa só vinte francos. Além disso, a gente sempre abandona alguma coisa em uma retirada. Veja Napoleão no Beresina! Abandonou seu exército inteiro.

Bóris estava tão contente com o plano (chamava de *une ruse de guerre*) que quase esqueceu que estava faminto. A principal falha – que não teria onde dormir depois de dar o cano – ele ignorou.

No começo, a *ruse de guerre* funcionou bem. Fui em casa, peguei meu sobretudo (isso já dava nove quilômetros, com a barriga vazia) e consegui tirar o casaco de Bóris do quarto. Então surgiu um problema. O homem da loja de penhores, um sujeitinho intrometido, rabugento e asqueroso – um típico funcionário francês –, recusou os sobretudos porque não estavam embrulhados. Disse que deveriam estar dentro de uma valise ou de uma caixa de papelão. Isso estragou tudo, pois não tínhamos caixa de espécie alguma e com nossos 25 cêntimos não poderíamos comprar uma.

Voltei e dei a má notícia a Bóris.

– Merde!, disse ele, "isso complica as coisas. Mas não importa, há sempre um jeito. Vamos pôr os sobretudos na minha mala.

— Como conseguiremos passar pelo *patron* com a mala? Ele está sentado quase na porta do escritório. É impossível!

— Como você se desespera com facilidade, *mon ami*! Onde está aquela obstinação inglesa sobre a qual li? Coragem! Vamos dar um jeito.

Bóris pensou por alguns instantes e depois criou outro plano genial. A dificuldade principal era prender a atenção do *patron* por talvez cinco segundos, enquanto passávamos com a mala. Ora, acontece que ele tinha um ponto fraco: interessava-se por Le Sport e estava pronto para conversar se você levantasse esse assunto. Bóris leu um artigo sobre corrida de bicicletas num exemplar velho do Petit Parisien e, depois que fizemos o reconhecimento das escadas, desceu e conseguiu pôr o *patron* a falar. Enquanto isso, eu esperava ao pé da escada, com os sobretudos embaixo de um braço e a mala embaixo do outro. Bóris daria uma tossida quando julgasse o momento favorável. Esperei tremendo, pois a qualquer hora a esposa do *patron* poderia sair pela porta que ficava defronte do escritório, e tudo estaria acabado. Porém Bóris logo tossiu; me esgueirei e saí rapidamente para a rua, regozijando-me por meus sapatos não terem rangido. O plano poderia ter falhado se Bóris fosse mais magro, pois foram seus ombros largos que bloquearam a porta do escritório. Seu sangue-frio foi esplêndido também: continuou rindo e conversando de modo despreocupado e tão alto que encobriria qualquer ruído que eu fizesse. Quando eu estava bem longe, ele foi me encontrar do outro lado da esquina, e fugimos.

Após toda essa complicação, o balconista da loja de penhores não aceitou de novo os sobretudos. Ele me disse (era possível ver sua alma francesa se deleitando com o pedantismo daquilo) que eu não tinha documentos de identificação suficientes; minha *carte d'identité* não bastava e eu deveria mostrar um passaporte ou alguma correspondência com meu endereço. Bóris tinha montes de envelopes endereçados, mas sua *carte d'identité* estava irregular (ele jamais a renovava, para não ter de pagar a taxa), e assim não podíamos empenhar os sobretudos em nome dele. Tudo o que podíamos fazer era nos arrastar até meu quarto, pegar os papéis necessários e levar os sobretudos à casa de penhores do Boulevard Port Royal.

Bóris ficou esperando no meu quarto e fui até a tal casa de penhores. Ao chegar lá, descobri que estava fechado e só abriria às quatro da tarde. Era ainda uma e meia e eu havia caminhado doze quilômetros e não comia havia sessenta horas. O destino parecia estar pregando uma série de peças extraordinariamente sem graça.

Aí nossa sorte mudou como por milagre. Eu andava para casa pela Rue Broca quando, de repente, vi uma moeda de cinco soldos brilhando nas pedras arredondadas do calçamento. Apanhei-a, corri para casa, peguei nossa moeda de 25 cêntimos e comprei meio quilo de batatas. O álcool na espiriteira era suficiente para afervená-las, e não tínhamos sal, mas as devoramos com casca e tudo. Depois disso, nos sentimos homens de novo e jogamos xadrez até que a loja de penhores abrisse.

Sem muitas esperanças, às quatro, voltei ao prego. Se antes havia conseguido apenas setenta francos, o que poderia esperar por dois sobretudos surrados numa mala de papelão? Bóris havia falado em vinte francos, mas eu achava que seriam dez francos, ou mesmo cinco. Pior ainda, eu poderia ser totalmente recusado, como o coitado do Número 83 da ocasião anterior. Sentei-me no banco da frente para não ver as pessoas rirem quando o funcionário dissesse cinco francos. Por fim, ele me chamou:

– Número 117!.
– Sim, falei enquanto me levantava.
– Cinquenta francos?

Um susto tão grande quanto o dos setenta francos da vez anterior. Agora acho que o funcionário confundiu meu número com o de outra pessoa, pois ninguém conseguiria vender aqueles sobretudos por cinquenta francos. Corri para casa e entrei no quarto com as mãos nas costas, sem dizer nada. Bóris estava brincando com o tabuleiro de xadrez. Disse ansioso:

– Quanto você conseguiu? Diga, nem vinte francos? Com certeza, conseguiu dez francos, não é? *Nom de Dieu,* cinco francos – assim já é demais. *Mon ami,* não me diga que foram cinco francos. Se você disser que foram cinco francos, vou começar realmente a pensar em suicídio.

Lancei a nota de cinquenta francos sobre a mesa. Bóris ficou branco como giz e depois, num pulo, pegou minha mão e deu um aperto que quase me quebrou os ossos. Saímos correndo, compramos pão e vinho, um pedaço de carne, álcool para o fogareiro, e nos empanturramos.

Após comer, Bóris ficou mais animado do que nunca.

– Eu não disse? A sorte da guerra! Esta manhã com cinco soldos, e agora olhe para nós. É o que eu sempre digo, não há nada mais fácil de se conseguir do que dinheiro. E isso me lembra que tenho um amigo na Rue Fondary que podemos visitar. Ele me lesou em quatrocentos francos, o larápio. Quando está sóbrio, não há ladrão maior, mas, curioso, quando está bêbado é bastante honesto. Calculo que já esteja bêbado pelas seis da tarde. Vamos procurá-lo. É bem provável que me pague cem por conta. *Merde!* Talvez pague duzentos.

Seguimos até a Rue Fondary e encontramos o sujeito; ele estava bêbado, mas não conseguimos nossos cem francos. Assim que ele e Bóris se encontraram houve uma terrível altercação na calçada. O sujeito declarou que não devia um centavo a Bóris e que, ao contrário, era Bóris quem devia a ele quatrocentos francos, e os dois ficaram apelando para a minha opinião. Nunca entendi quem tinha razão. Os dois discutiram e discutiram, primeiro na rua, depois num bistrô, depois em um restaurante prix fixe onde fomos jantar, depois em outro bistrô. Por fim, depois de se chamarem mutuamente de ladrão durante duas horas, partiram juntos para uma bebedeira que acabou com o dinheiro de Bóris até o último tostão.

Bóris dormiu aquela noite na casa de um sapateiro, outro refugiado russo, no bairro do Comércio. Enquanto isso, eu ainda tinha oito francos e muitos cigarros, e estava empanturrado até o gargalo de comida e bebida. Era uma maravilhosa mudança para melhor, depois de dois dias ruins.

Na Pior em Paris e Londres

Capítulo 8

"Eles são comunistas; na verdade, são agentes dos bolchevistas. Funcionam como uma sociedade de amigos, entram em contato com exilados russos e tentam convencê-los a se tornar bolcheviques. Meu amigo entrou nessa sociedade e acha que eles nos ajudariam se fôssemos procurá-los."

Agora tínhamos 28 francos na mão e podíamos começar a procurar trabalho de novo. Bóris ainda estava dormindo, em termos um tanto misteriosos, na casa do sapateiro e conseguira mais vinte francos emprestados de um amigo russo. Ele tinha amigos, na maioria ex-oficiais como ele mesmo, aqui e ali por toda Paris. Alguns eram garçons e lavadores de pratos, outros eram taxistas, uns poucos eram sustentados por mulheres, outros haviam conseguido trazer dinheiro da Rússia e eram donos de oficinas ou *dancings*. Em geral, os refugiados russos em Paris são gente trabalhadora e suportaram sua má sorte de forma muito melhor do que se pode imaginar que um inglês da mesma classe faria. Há exceções, evidentemente. Bóris contou-me que havia conhecido um duque russo exilado que frequentava restaurantes caros. O duque dava um jeito de descobrir se havia algum oficial russo entre os garçons e, depois de jantar, chamava-o de modo amistoso até sua mesa.

– Quer dizer então você é um velho soldado como eu, dizia o duque. Maus dias, hein? Ora, ora, o soldado russo não teme nada. E qual era o seu regimento?

– O tal e tal, senhor, respondia o garçom.

– Um regimento muito distinto! Passei-o em revista em 1912. Por falar nisso, infelizmente esqueci minha carteira em casa. Um oficial russo, tenho certeza, não me negará a gentileza de me emprestar trezentos francos.

Se o garçom tivesse trezentos francos, os entregaria e, é claro, jamais os veria de novo. O duque ganhava um bocado dessa maneira. É provável que os garçons não se importassem com a vigarice. Um duque é um duque, mesmo no exílio.

Foi através de um desses refugiados russos que Bóris soube de algo que parecia prometer dinheiro. Dois dias depois de termos empenhado os sobretudos, me falou num tom um tanto misterioso:

– Diga-me, *mon ami*, você tem opiniões políticas?

– Não, respondi.

– Nem eu. Claro, sempre se é patriota; mas ainda assim – Moisés não falou algo sobre espoliar os egípcios? Como bom inglês, você deve ter lido a Bíblia. O que eu quero dizer é: você faria objeção a ganhar dinheiro dos comunistas?

– Não, claro que não.

— Bem, parece que existe uma sociedade secreta russa em Paris que pode fazer alguma coisa por nós. Eles são comunistas; na verdade, são agentes dos bolchevistas. Funcionam como uma sociedade de amigos, entram em contato com exilados russos e tentam convencê-los a se tornar bolcheviques. Meu amigo entrou nessa sociedade e acha que eles nos ajudariam se fôssemos procurá-los.

— E o que podem fazer por nós? De qualquer modo, não vão me ajudar, pois não sou russo.

— Essa é exatamente essa a questão. Parece que eles são correspondentes de um jornal de Moscou e querem alguns artigos sobre política inglesa. Se formos logo até lá, talvez encomendem artigos seus.

— Eu? Mas não sei nada de política.

— *Merde!* Nem eles. Quem entende alguma coisa de política? É fácil. Tudo o que você tem a fazer é copiar os jornais ingleses. Não há um Daily Mail em Paris? Copie dele.

— Mas o Daily Mail é um jornal conservador. Eles odeiam os comunistas.

— Ora, diga o oposto do que diz o Daily Mail e não tem erro. Não devemos jogar fora essa chance, *mon ami*. Pode significar centenas de francos.

Sabia que a polícia de Paris é muito dura com os comunistas, especialmente se forem estrangeiros, e eu já estava sob suspeita. Por isso não gostei nada dessa ideia. Alguns meses antes, um detetive me vira sair do escritório de um semanário comunista e tive muitos problemas com a polícia. Se me pegassem indo àquela sociedade secreta, poderia significar deportação. Porém a oportunidade parecia boa demais para ser desperdiçada. Naquela tarde, o amigo de Bóris, outro garçom, veio nos buscar para o encontro. Não lembro o nome da rua – era uma rua miserável que saía da margem sul do Sena, perto da Câmara de Deputados. O amigo de Bóris insistiu que tivéssemos grande cautela. Descemos a rua com ar despreocupado, marcamos a porta onde deveríamos entrar – era uma lavanderia – e depois voltamos, com um olho nas janelas e nos cafés. Se o lugar fosse conhecido como um antro de comunistas, estaria provavelmente sob vigilância, e pretendíamos ir embora se víssemos alguém com cara de investigador. Eu estava com medo, mas Bóris adorava essas aventuras conspiratórias e esqueceu que estava prestes a negociar com os assassinos de seus pais.

Apenas quando tivemos certeza de que o perigo passou, nos enfiamos rapidamente pela porta. Na lavanderia, uma francesa que passava roupas nos disse que "os cavalheiros russos" moravam no fim da escada, do outro lado do pátio. Subimos vários lances de uma escada escura e chegamos a um patamar. Um jovem forte e carrancudo, de cabelos curtos, estava de pé no topo da escada. Quando me aproximei, barrou o caminho com o braço e disse alguma coisa em russo.

– *Mot d'ordre!*, disse com rispidez, depois que não respondi. Parei, espantado. Não esperava senhas.

– *Mot d'ordre!",* repetiu o russo.

O amigo de Bóris , que vinha atrás, avançou e disse algo em russo, ou uma senha ou uma explicação. Com isso, o carrancudo pareceu satisfeito e nos conduziu até um quarto miserável, com janelas foscas. Era um escritório muito pobre, com cartazes de propaganda em russo e um enorme retrato grosseiro de Lênin pregados nas paredes. À mesa, estava sentado um russo com barba por fazer, em mangas de camisa, escrevendo endereços em invólucros de jornais empilhados à sua frente. Quando entrei, falou comigo em francês, com um sotaque forte.

– Mas que falta de cuidado!, vociferou com exagero. Por que vieram sem uma trouxa de roupa suja?"

– Roupa suja?

– Todo mundo que vem aqui traz roupa suja. Dá a impressão de que vão à lavanderia lá de baixo. Tragam uma boa trouxa da próxima vez. Não queremos a polícia no nosso rastro.

Aquilo era mais conspiratório do que eu havia imaginado. Bóris sentou-se na única cadeira vazia e houve muita conversa em russo. Só o homem com a barba por fazer falava; o carrancudo encostou-se na parede com os olhos em mim, como se ainda tivesse suspeitas a meu respeito. Era esquisito estar de pé naquele pequeno quarto secreto com seus cartazes revolucionários, ouvindo uma conversa da qual eu não entendia uma só palavra. Os russos falavam depressa e com animação, com sorrisos e sacudidas de ombros. Fiquei imaginando o que diziam. Deviam estar se tratando por "paizinho", "pombinho" e "Ivan Alexandrovitch", como as personagens de romances russos. E a conversa seria sobre revoluções. O homem barbudo estaria dizendo com firmeza:

– Jamais discutimos. A controvérsia é um passatempo burguês. Os fatos são nossos argumentos.

Logo deduzi que não se tratava exatamente disso. Estavam, ao que parecia, pedindo vinte francos por uma taxa de inscrição, e Bóris prometia pagar (tínhamos apenas dezessete francos). Por fim, Bóris pegou nosso precioso tesouro e pagou cinco francos por conta.

O mal-encarado pareceu menos desconfiado e sentou-se na beira da mesa. O da barba por fazer começou a me questionar em francês, tomando notas num pedaço de papel. Era eu comunista? Simpatizante, respondi; eu jamais entrara numa organização. Eu compreendia a situação política na Inglaterra? Ah, claro, claro. Mencionei o nome de vários ministros e fiz algumas observações desdenhosas sobre o Partido Trabalhista. E sobre le sport? Poderia eu escrever artigos sobre le sport? (Futebol e socialismo têm alguma misteriosa conexão no continente europeu.) Ah, claro, de novo. Os dois homens aprovaram gravemente com a cabeça. O da barba disse:

– *Évidemment,* você tem um conhecimento completo das condições na Inglaterra. Poderia escrever uma série de artigos para um semanário de Moscou? Nós lhe daremos os detalhes.

– Com certeza"

– Então, camarada, você terá notícias nossas pela primeira entrega do correio de amanhã. Ou possivelmente a segunda. Nossa tabela de pagamento é de cento e cinquenta francos por artigo. Lembre-se de trazer um pacote de roupa suja na próxima vez que vier. *Au revoir*, camarada.

Descemos as escadas, olhamos cuidadosamente pela porta da lavanderia para ver se não havia ninguém na rua e escapulimos. Bóris estava louco de alegria. Numa espécie de êxtase sacrificatório, correu até a tabacaria mais próxima e gastou cinquenta cêntimos num charuto. Saiu batendo a bengala na calçada, com um sorriso aberto.

– Finalmente! Finalmente! Agora, *mon ami*, nossa fortuna está realmente feita. Você os enrolou com perfeição. Ouviu o sujeito chamar você de camarada? Cento e cinquenta francos por artigo – Nom de Dieu, que sorte!

Na manhã seguinte, quando escutei o carteiro chegar, desci depressa ao bistrô a fim de pegar minha carta; para meu desapontamento, ela não viera. Fiquei em casa à espera da segunda entrega; nada. Depois de três dias sem notícias da sociedade secreta, desistimos de esperar, pois deviam ter encontrado outra pessoa para escrever os artigos.

Depois de dez dias, voltamos ao escritório da sociedade secreta, tomando o cuidado de levar um embrulho que parecia de roupa suja. E a sociedade secreta havia sumido! A mulher da lavanderia não sabia de nada – disse simplesmente que *"ces messieurs"* haviam ido embora alguns dias antes, depois de confusão sobre o aluguel. Que idiotas parecíamos ali com nosso embrulho! Mas era um consolo saber que havíamos pago cinco, em vez de vinte francos.

Foi a última vez que ouvimos falar da sociedade secreta. Quem ou o que eles realmente eram, ninguém soube. Pessoalmente, penso que não tinham nada a ver com o Partido Comunista; acho que eram apenas vigaristas que se aproveitavam dos refugiados russos, extraindo taxas de inscrição para uma sociedade imaginária. Era bastante seguro e, sem dúvida, devem estar fazendo a mesma coisa em outra cidade. Eram sujeitos espertos e representavam seu papel admiravelmente. O escritório tinha a aparência exata de como deveria ser um aparelho comunista. O lance do embrulho de roupa suja foi uma armação e tanto.

Capítulo 9

"Bóris me havia dito que se tratava de um ex-coronel do Exército russo. A mulher dele também estava presente, uma francesa gorda, horrível, com um rosto cadavérico e lábios vermelhos que me lembravam vitela fria com tomates."

Durante três dias continuamos a vaguear em busca de trabalho e a ter refeições cada vez menores de sopa e pão em meu quarto. Havia agora dois vislumbres de esperança. Em primeiro lugar, Bóris ouvira falar de um possível emprego no hotel X., perto da Place de la Concorde, e em segundo, o *patron* do novo restaurante da Rue du Commerce havia finalmente voltado. Fomos até lá uma tarde e conversamos com ele. No caminho, Bóris falou das enormes fortunas que faríamos se obtivéssemos aquele emprego e da importância de causar uma boa impressão no patron.

– Aparência – aparência é tudo, *mon ami*. Dê-me um terno novo e consigo emprestados mil francos até a hora da janta. Pena que não comprei um colarinho quando tínhamos dinheiro. Inverti o lado do meu colarinho esta manhã, mas não adiantou nada, um lado está tão sujo quanto o outro. Você acha que estou com cara de fome, *mon ami*?"

– Você está pálido.

– Droga, o que se pode fazer comendo pão e batatas? É fatal ter aparência de faminto. Isso faz as pessoas quererem te chutar. Espera.

Parou diante da vitrine de um joalheiro e bateu nas bochechas com força para que ficassem vermelhas. Depois, antes que o fluxo de sangue se esvaísse, corremos até o restaurante e nos apresentamos ao *patron*.

Era um homem baixo, gorducho, muito distinto, de cabelos grisalhos ondulados, vestido com um elegante terno de flanela trespassado e cheirando a perfume. Bóris me havia dito que se tratava de um ex-coronel do Exército russo. A mulher dele também estava presente, uma francesa gorda, horrível, com um rosto cadavérico e lábios vermelhos que me lembravam vitela fria com tomates. O *patron* cumprimentou Bóris cordialmente e os dois conversaram em russo por alguns minutos. Fiquei de lado, preparando-me para contar grandes mentiras sobre minha experiência de lavador de pratos.

Então o *patron* veio na minha direção. Mudei de posição apreensivo, tentando parecer servil. Bóris incutira em mim que um *plongeur* é o escravo de um escravo, e eu esperava que o *patron* me tratasse como lixo. Para meu espanto, apertou minha mão calorosamente.

– Então, o senhor é inglês! Mas que encantador! Nem preciso perguntar então se joga golfe?

– *Certainement*, disse eu, percebendo que era isso o que ele esperava de mim.

– Sempre quis jogar golfe. Meu caro monsieur, será que o senhor faria a gentileza de me mostrar algumas das principais tacadas?

Pelo visto, aquele era o jeito russo de fazer negócios. O *patron* escutou atento enquanto eu explicava a diferença entre um driver e um iron e então, de repente, me informou que estava tudo *entendu*; Bóris seria o *maître d'hôtel* quando o restaurante abrisse e eu um *plongeur*, com chance de ser promovido a atendente do banheiro se o negócio andasse bem. Perguntei quando o restaurante iria abrir.

– Dentro de exatamente quinze dias, respondeu o *patron* com grandiosidade, exatamente quinze dias, a tempo do almoço. Então, com óbvio orgulho, nos mostrou o restaurante.

O lugar era pequeno; tinha um bar, um salão de jantar e uma cozinha não maior do que um banheiro de tamanho médio. O *patron* o estava decorando em um estilo "pitoresco" enganoso (ele o chamava de *"normand"*; eram apenas falsas vigas enfiadas no estuque e coisas assim) e propunha-se chamá-lo de Auberge de Jehan Cottard, para dar-lhe um efeito medieval. Mandara imprimir um folheto cheio de mentiras sobre as conexões históricas do bairro, que dizia, entre outras coisas, que no local do restaurante existira outrora uma taverna frequentada por Carlos Magno. O *patron* estava muito satisfeito com esse toque. Também estava decorando o bar com pinturas indecentes feitas por um artista do Salon. Por fim, deu a cada um de nós um cigarro caro e, depois de mais um pouco de conversa, voltamos para casa.

Senti um forte pressentimento de que não deveríamos esperar nada de bom daquele restaurante. O *patron* me parecera um vigarista e, o que era pior, um vigarista incompetente, e eu havia visto dois inconfundíveis cobradores à espreita na porta dos fundos. Mas Bóris, imaginando-se mais uma vez maître d'hôtel, não se desencorajava.

– Conseguimos! – só precisamos esperar quinze dias. O

que são quinze dias? Comida? *Je m'en fous.* Pensar que em apenas três semanas terei minha amante! Será morena ou loira? Não importa, desde que não seja magra demais.

Depois vieram dois dias ruins. Tínhamos apenas sessenta cêntimos, que gastamos em meia libra de pão e em um pedaço de alho para esfregar nele. A vantagem de esfregar alho no pão é que o gosto permanece na boca e dá a ilusão de que se comeu recentemente. Passamos a maior parte daquele dia sentados no Jardin des Plantes. Bóris atirava pedras nos pombos, mas sempre errava o alvo, e depois disso escrevemos menus de jantar no verso de envelopes. Estávamos famintos demais até para tentar pensar em algo que não fosse comida. Lembro do jantar que Bóris finalmente escolheu para si: uma dúzia de ostras, borche (de beterraba com creme por cima), lagostins, frango en casserole, carne com ameixas cozidas, batatas frescas, uma salada, pudim de gordura de rins e queijo Roquefort, com um litro de borgonha e algum conhaque velho. Bóris tinha paladar internacional. Mais tarde, quando nos tornamos prósperos, o vi ocasionalmente comer refeições quase tão fartas como essa sem dificuldade.

Na hora em que nosso dinheiro acabou, parei de procurar emprego e foi mais um dia sem comida. Eu não acreditava que o Auberge de Jehan Cottard fosse realmente abrir e não via outra perspectiva, mas estava preguiçoso demais para fazer outra coisa senão ficar deitado na cama. Então, a sorte mudou de repente. À noite, por volta das dez, escutei um grito impaciente vindo da rua. Levantei-me e fui até a janela. Lá estava Bóris, sacudindo a bengala, radiante. Antes de falar, tirou um pão torto do bolso e jogou para mim.

–"*Mon ami, mon cher ami*, estamos salvos! O que você acha?

– Você conseguiu um emprego, não acredito!

– No hotel X., perto da Place de la Concorde – quinhentos francos por mês, e comida. Trabalhei hoje lá. Jesus Cristo, como comi!

Depois de dez ou doze horas de trabalho, e com a perna manca, seu primeiro pensamento fora caminhar três quilômetros até meu hotel e me dar a boa nova! E o que era melhor, me disse para encontrá-lo nas Tuileries no dia seguinte, durante seu intervalo da tarde, pois talvez conseguisse roubar um pouco de comida para mim. Na hora marcada, encontrei-me com Bóris num banco do jardim. Ele abriu o colete e exibiu um grande embrulho de jornal amassado; dentro, havia um pouco de vitela picada, uma fatia de queijo Camembert, pão e um éclair, tudo misturado.

– *Voilà!*, disse, isso é tudo que pude pegar escondido para você. O porteiro é um suíno esperto.

É chato comer em cima de um jornal num local público, especialmente nas Tuileries, que em geral está cheio de garotas bonitas, mas eu estava faminto demais para me importar. Enquanto eu comia, Bóris explicou que estava trabalhando na *cafeterie* do hotel. Parece que a *cafeterie* era o posto mais baixo do hotel e um terrível rebaixamento para um garçom, mas serviria até que o Auberge de Jehan Cottard abrisse. Enquanto isso, eu deveria encontrá-lo todos os dias nas Tuileries e ele surrupiaria o máximo de comida que sua ousadia permitisse.

Ao longo de três dias, continuamos com esse arranjo e vivi inteiramente de comida roubada. Então todos os nossos problemas acabaram, pois um dos *plongeurs* saiu do Hotel X. e, por indicação de Bóris, ganhei o emprego.

Capítulo 10

"Era um lugar baixo demais para que eu pudesse ficar ereto e a temperatura parecia ser superior a quarenta graus centígrados."

Aquele hotel era um lugar amplo e grandioso, com uma fachada clássica e uma porta lateral pequena e escura como um buraco de rato, que era a entrada de serviço. Cheguei às quinze para as sete da manhã. Uma fila de homens com calças sebosas entrava apressada e era inspecionada por um porteiro que ficava sentado num escritório minúsculo. Esperei e logo o *chef du personnel*, uma espécie de gerente-assistente, chegou e começou a me fazer perguntas. Era um italiano, com um rosto redondo e pálido, abatido pelo excesso de trabalho. Perguntou se eu tinha experiência em lavar pratos e eu disse que sim; ele deu uma olhada nas minhas mãos e viu que eu estava mentindo, mas ao saber que eu era inglês mudou de tom e me contratou.

– Procuramos alguém para praticar nosso inglês, disse. "Todos os nossos clientes são americanos e a única coisa que sabemos em inglês é ... – disse uma palavra que os meninos escrevem nos muros de Londres. –Você pode ser útil. Vamos lá embaixo.

Levou-me por uma escada em espiral até um corredor estreito, no fundo do subsolo, e tão baixo que tive de me abaixar em alguns trechos. Era um lugar muito abafado e sombrio, com umas poucas lâmpadas amarelas distantes umas das outras. Parecia haver quilômetros de labirintos escuros – na verdade, deveriam ser algumas centenas de metros –, que lembravam esquisitamente conveses inferiores de um navio; era o mesmo calor, o mesmo espaço apertado e o mesmo cheiro forte de comida, e um zumbido (que vinha das fornalhas da cozinha) semelhante ao ruído dos motores. Passamos por portas de onde saíam às vezes imprecações, às vezes o brilho vermelho de um fogo, uma vez a corrente de ar arrepiante de uma câmara fria. Enquanto avançávamos, algo bateu com violência em minhas costas. Era um bloco de gelo de quase cinquenta quilos carregado por um sujeito de avental azul. Depois dele vinha um menino com uma grande peça de vitela no ombro, a bochecha apertada contra a carne úmida e esponjosa. Eles me empurraram para o lado com um grito de *"Range-toi, idiot!"* e passaram depressa. Na parede, sob uma das luzes, alguém havia escrito com letra caprichada: "É mais fácil ver um dia de céu aberto no inverno do que uma mulher virgem no Hotel X.. Parecia um lugar muito esquisito.

Em um dos corredores que dava para uma lavanderia, uma velha de rosto encovado me entregou um avental azul e uma pilha de panos de prato. Depois o *chef du personnel* levou-me até um cubículo subterrâneo – como se fosse um porão embaixo do porão – onde havia uma pia e alguns fornos a gás. Era um lugar baixo demais para que eu pudesse ficar ereto e a temperatura parecia ser superior a quarenta graus centígrados. O *chef du personnel* explicou que meu trabalho era levar a comida para os empregados mais graduados do hotel, que comiam numa pequena sala de almoço acima, limpar essa saleta e lavar a louça deles. Depois que ele foi embora, um garçom, também italiano, enfiou a cabeça ameaçadora e encrespada pela porta e me olhou de alto a baixo.

– Inglês, é?, disse ele. "Bem, eu sou o encarregado daqui. Se você trabalhar bem" – ele fez que levantava uma garrafa e sugava ruidosamente. "Se não" – deu vários chutes vigorosos no batente da porta. "Para mim, torcer o seu pescoço e cuspir no chão é a mesma coisa. E se houver algum problema, vão acreditar em mim, não em você. Então, tome cuidado.

Em seguida, comecei a trabalhar sem dúvida com muita presteza. Exceto por cerca de uma hora, eu ficava no batente das sete da manhã às nove e quinze da noite; primeiro lavando as louças, depois limpando as mesas e o chão da saleta de almoço dos empregados, depois polindo copos e facas, depois levando as refeições, depois lavando louça de novo, depois levando mais comida e lavando mais louça. Era um trabalho fácil e me dei bem, exceto quando ia até a cozinha pegar a comida. A cozinha não se parecia com nada que eu conhecesse ou já tivesse imaginado – um inferno sufocante de teto baixo, iluminado de vermelho pelos fornos, e ensurdecedor pelas imprecações e pelo estrépito de panelas e caçarolas. Era tão quente que todas as peças de metal, exceto os fogões, tinham de ser cobertas com panos. No meio ficavam as fornalhas, onde doze cozinheiros pulavam de um lado para o outro, com o rosto pingando suor, apesar dos gorros brancos. Do outro lado, havia balcões, onde uma turba de garçons e *plongeurs* bradava com bandejas. Ajudantes de cozinha, nus da cintura para cima, punham lenha no fogo e areavam enormes caçarolas de cobre. Todos pareciam

estar com pressa e irritados. O chefe da cozinha, um homem corado e de grandes bigodes, ficava no centro e gritava sem parar:
— *Ça marche, deux œufs brouillés! Ça marche, un Chateaubriand pommes sautées!*

E só interrompia para amaldiçoar um *plongeur*. Havia três balcões, e a primeira vez que entrei na cozinha levei minha bandeja inadvertidamente para o balcão errado. O cozinheiro-chefe se aproximou de mim, torceu os bigodes e me olhou de alto a baixo. Depois chamou o cozinheiro do desjejum e apontou para mim.

— Está vendo isto? É o tipo de *plongeur* que eles nos mandam hoje em dia. De onde você vem, idiota? De Charenton, suponho?

— Da Inglaterra, respondi.

— Eu devia ter desconfiado. Bem, *mon cher monsieur* !

— Inglês? Sinto informá-lo que você é um filho da puta? E agora, *fous-moi le camp* para o outro balcão, onde é o seu lugar.

Toda vez que fui à cozinha era assim, pois sempre cometia algum erro; esperava-se que eu conhecesse o trabalho, e, consequentemente, era xingado. Por curiosidade, contei o número de vezes em que fui chamado de *maquereau* durante o dia: 39.

O italiano me disse que eu podia parar de trabalhar às quatro e meia, mas que não valia a pena sair, pois recomeçaríamos às cinco. Fui até o banheiro para dar uma tragada; fumar era terminantemente proibido e Bóris me advertira que o banheiro era o único lugar seguro. Depois disso, trabalhei até às nove e quinze, quando o garçom enfiou a cabeça pela porta e me disse que largasse o resto da louça. Para meu espanto, depois de me chamar de porco, idiota etc. o dia inteiro, ficou subitamente amistoso. Percebi que as imprecações que havia escutado eram apenas uma espécie de recepção de calouro.

— É o suficiente, *mon p'tit*, disse o garçom. *Tu n'es pas débrouillard,* mas trabalha direitinho. Suba e jante.

O hotel libera dois litros de vinho para cada um e eu roubei outra garrafa. Vamos tomar um belo porre.

Pudemos saborear um jantar excelente com as sobras dos empregados mais graduados. O garçom ficou meio embriagado e me contou histórias de seus casos amorosos, sobre dois homens que havia esfaqueado na Itália e sobre como havia driblado o serviço militar. Era um bom sujeito, depois que se conhecia; lembrava-me Benvenuto Cellini. Eu estava cansado e ensopado de suor, mas me sentia um homem novo depois de um dia de comida de verdade. O trabalho não parecia difícil e achei que me adaptaria a ele. Mas não estava seguro de que continuaria, pois fora contratado como um extra somente para aquele dia, por 25 francos. O porteiro carrancudo contou o dinheiro e descontou cinquenta cêntimos, que disse ser para o seguro (uma mentira, descobri depois). Em seguida, saiu para o corredor, mandou que eu tirasse o casaco e me apalpou todo, à procura de comida roubada. Depois disso, o *chef du personnel* apareceu e falou comigo. Tal como o garçom, ficara mais cordial ao ver que eu estava disposto a trabalhar.

— Podemos lhe dar um emprego fixo, se você quiser, disse ele. O chefe dos garçons diz que gostaria de insultar um inglês. Você assinaria um contrato de um mês?

Finalmente uma chance de emprego, e eu estava pronto para agarrá-lo com unhas e dentes. Então lembrei do restaurante russo, que deveria abrir em quinze dias. Parecia-me pouco honesto prometer trabalhar por um mês e depois largar na metade. Disse que tinha outro trabalho em vista — poderia me contratar por uma quinzena? Diante disso, o *chef du personnel* deu de ombros e disse que o hotel só contratava por um mês. Evidentemente, eu havia perdido minha chance de emprego.

Bóris me esperava na arcada da Rue de Rivoli, como havíamos combinado. Quando lhe contei o que havia acontecido, ficou furioso. Pela primeira vez, desde que nos conhecíamos, perdeu as estribeiras e me chamou de imbecil.

— Idiota! Seu idiota! De que adianta eu lhe arranjar um emprego se você vai lá e desiste em seguida? Como você pode ser tão imbecil e mencionar o outro restaurante? Bastava prometer que trabalharia por um mês.

— Achei mais honesto dizer que talvez tivesse de sair, objetei.

— Honesto! Honesto! Quem já ouviu falar de um *plongeur* honesto? *Mon ami.*

De repente, me pegou pela lapela e falou seriamente:

— *Mon ami*, você trabalhou aqui o dia inteiro. Viu como é o trabalho no hotel. Você acha que um *plongeur* pode ser dar ao luxo de ter alguma espécie de honra?

— Não, talvez não.

— Então, volte rapidamente e diga ao *chef du personnel* que você está disposto a trabalhar por um mês. Diga que vai desistir do outro emprego. Depois, quando nosso restaurante abrir, é só cair fora.

— Mas e o meu salário, se eu romper o contrato?

Bóris bateu a bengala no chão e gritou diante de tal estupidez:

— Diga que quer receber por dia e assim não perderá um único tostão. Você acha que eles vão processar um *plongeur* por quebra de contrato? Um *plongeur* é insignificante demais para ser processado.

Voltei correndo, encontrei o *chef du personnel* e lhe disse que trabalharia por um mês; e ele me contratou. Foi minha primeira lição da moralidade de um *plongeur*.

Mais tarde, percebi como eu fui idiota em ter escrúpulos, uma vez que os grandes hotéis são bastante impiedosos com seus empregados. Eles contratam e dispensam de acordo com as necessidades de trabalho, e todos demitem 10% ou mais do pessoal quando a temporada acaba. E também não têm dificuldade para substituir alguém que vai embora sem avisar com antecedência, pois Paris está lotada de trabalhadores de hotel desempregados.

Capítulo 11

"A única dureza dessa vida era o terrível calor e o abafamento daqueles porões labirínticos. Afora isso, o hotel, grande e bem organizado, era considerado confortável."

No fim, nem quebrei meu contrato, pois passaram-se seis semanas até que o Auberge de Jehan Cottard desse algum sinal de que iria ser inaugurado. Entrementes, trabalhei no hotel X.: quatro dias por semana na *cafeterie*, um dia ajudando o garçom no quarto andar e um dia substituindo a mulher que lavava a louça do salão de jantar. Felizmente, meu dia de folga era domingo, mas às vezes outro funcionário ficava doente e eu tinha de trabalhar nesse dia também. Meu horário era das sete da manhã às duas da tarde e das cinco às nove da noite – uma jornada de onze horas que se transformava em catorze quando eu lavava a louça da sala de refeições. Pelos padrões habituais de um *plongeur* parisiense, era uma jornada excepcionalmente curta. A única dureza dessa vida era o terrível calor e o abafamento daqueles porões labirínticos. Afora isso, o hotel, grande e bem organizado, era considerado confortável.

A cafeteria ficava num porão escuro que media seis metros por dois de extensão e 2,5 metros de altura, tão cheio de cafeteiras, cortadores de pão e coisas do gênero que mal dava para se mexer sem esbarrar em alguma coisa. Era iluminada por uma única lâmpada fraca e por quatro ou cinco bicos de gás que emitiam um bafo vermelho. Havia um termômetro, e a temperatura jamais ficava abaixo de quarenta graus centígrados – chegava perto de 55°C em alguns momentos do dia. Em uma das extremidades havia cinco elevadores de serviço e, na outra, um frigorífico onde guardávamos leite e manteiga. Quando se entrava no frigorífico, a temperatura caía 40°C com um único passo; aquilo me lembrava do hino sobre as montanhas geladas da Groenlândia e as praias de corais da Índia.

Além de Bóris e de mim, dois outros homens trabalhavam no estabelecimento. Um deles era Mário, um italiano imenso e excitável – parecia um policial de trânsito com gestos teatrais –, e o outro, um animal peludo e desajeitado que chamávamos de Magiar; acho que era da Transilvânia ou de algum lugar ainda mais remoto. Com exceção de Magiar, éramos todos grandes, e nas horas de pico colidíamos sem cessar.

O serviço na *cafeterie* era intermitente. Nunca ficávamos à toa, mas o trabalho mesmo vinha em explosões a cada duas horas – nós as chamávamos de *un coup de feu*. O primeiro *coup de feu* acontecia às oito, quando os hóspedes começavam a acordar e a pedir o café da manhã. Às oito, batidas e gritos súbitos irrompiam em todo o subsolo; campainhas tocavam por todos os lados, homens de avental azul apressavam-se pelos corredores, nossos elevadores de serviço desciam num estrondo simultâneo e os garçons de todos os cinco andares começavam a rogar pragas em italiano pelo poço dos elevadores. Não lembro de todas nossas tarefas, mas entre elas estava fazer chá, café e chocolate, pegar refeições na cozinha, vinhos da adega, frutas e coisas do gênero da sala de jantar, fatiar pão, fazer torradas, bolotas de manteiga, servir geleias, abrir latas de leite, contar torrões de açúcar, cozinhar ovos, fazer mingaus, picar gelo, moer café – tudo isso para cem ou duzentos hóspedes. A cozinha ficava a uns trinta metros e a sala de jantar, o dobro de distância. Tudo o que mandávamos para cima pelos elevadores precisava ser registrado numa comanda, que era cuidadosamente arquivada, e havia complicações se perdêssemos até mesmo um torrão de açúcar. Além disso, tínhamos de fornecer café e pão aos funcionários e levar as refeições para os garçons lá em cima. Somando tudo, era um trabalho complicado.

Imaginei que precisava caminhar e correr quase 25 quilômetros por dia, mas a tensão do trabalho era mais mental do que física. À primeira vista, nada poderia ser mais fácil do que aquele trabalho estúpido, mas é espantosamente difícil quando se está com pressa. É preciso saltar de um lado para o outro entre uma quantidade de coisas a fazer – é como separar cartas de um baralho contra o relógio. Está, digamos, fazendo torradas quando, tum!, desce o elevador com um pedido de chá, pãezinhos e três tipos diferentes de geleia, e simultaneamente, tum!, desce outro pedindo ovos mexidos, café e grapefruit; você corre como um raio até a cozinha para buscar os ovos e até a sala de jantar para pegar a fruta, para estar de volta antes que as torradas queimem e tendo de lembrar do chá e do café, além de outra meia dúzia de pedidos que ainda estão pendentes; e, ao mesmo tempo, um garçom está seguindo você, reclamando de uma garrafa de água mineral perdida e você discute com ele. É preciso mais cabeça do que se poderia pensar. Mario disse, e com toda a razão, que era preciso um ano para formar um *cafetier* confiável.

Entre as oito e as dez e meia era uma espécie de delírio. Às vezes, agíamos como se tivéssemos apenas cinco minutos de vida; outras vezes, havia súbitas calmarias, quando os pedidos paravam e tudo parecia tranquilo por um momento. Então varríamos o lixo do chão, jogávamos serragem nova no piso e bebíamos moringas de vinho, café ou água – qualquer coisa, desde que fosse líquida. Com muita frequência, quebrávamos pedaços de gelo e os chupávamos enquanto trabalhávamos. O calor entre os bicos de gás era nauseante; tomávamos litros de líquido durante o dia e depois de algumas horas até nossos aventais estavam ensopados de suor.

Às vezes, atrasávamos irremediavelmente e alguns dos hóspedes se viam obrigados a sair sem café da manhã, mas Mário sempre nos salvava. Ele trabalhava havia catorze anos na *cafeterie* e tinha a capacidade de não perder um segundo entre as tarefas. O Magiar era muito estúpido, eu não tinha experiência e Bóris tendia a se esquivar, em parte por causa de sua perna coxa, em parte porque tinha vergonha de trabalhar na *cafeterie* depois de ter sido garçom; Mario, porém, era maravilhoso. O modo como esticava seus longos braços de um lado ao outro da *cafeterie* para encher um bule de café com uma das mãos e cozinhar um ovo com a outra, ao mesmo tempo que vigiava as torradas e dava ordens ao Magiar, enquanto cantarolava trechos do Rigoletto, estava acima de qualquer elogio. O *patron* reconhecia seu valor e lhe pagava mil francos por mês, em vez de quinhentos, como aos demais.

A confusão do café da manhã terminava às dez e meia. Então, limpávamos as mesas da *cafeterie*, varríamos o chão e políamos os utensílios de metal; nas manhãs boas, íamos um de cada vez ao banheiro para fumar. Era nosso momento de folga, mas uma folga relativa, pois tínhamos apenas dez minutos para o almoço e sempre éramos interrompidos. A hora de almoço dos clientes, entre o meio-dia e as duas, era outro período tumultuado, como o do café da manhã. A maior parte de nosso trabalho consistia em apanhar refeições na cozinha, o que significava constantes trapalhadas dos cozinheiros. Àquela altura, eles já haviam suado diante de suas fornalhas por quatro ou cinco horas e estavam de cabeça quente.

Às duas, nos tornávamos homens livres. Tirávamos o avental, vestíamos o casaco, saíamos apressadamente porta afora e, quando tínhamos dinheiro, mergulhávamos no bistrô mais próximo. Era estranho sair daqueles porões iluminados pelo fogo e ir para a rua. O ar quase cegava de tão claro e frio, como um verão ártico; e como era doce o cheiro da gasolina, depois do fedor de suor e comida! Às vezes, encontrávamos alguns de nossos cozinheiros e garçons no bistrô, e eles eram muito cordiais e nos pagavam bebidas. Lá dentro, éramos seus escravos, mas faz parte da etiqueta da vida hoteleira que fora do horário de trabalho todos sejam iguais, e as trapalhadas não contam.

Às quatro e quarenta e cinco voltávamos ao hotel. Até às seis e meia, não havia pedidos e aproveitávamos esse tempo para polir a prataria, limpar as cafeteiras e fazer outras coisas avulsas. Então começava o tumulto grandioso do dia – a hora do jantar. Eu gostaria de ser Zola só por um momento, apenas para descrever essa hora. A situação, em essência, era que cem ou duzentas pessoas pediam refeições individuais de cinco ou seis pratos diferentes e que cinquenta ou sessenta pessoas tinham de prepará-las e servi-las, e depois limpar a bagunça; qualquer um com experiência no ramo sabe o que isso significa. E exatamente no momento em que o trabalho dobrava, todo o pessoal estava cansado e muitos estavam bêbados. Eu poderia escrever páginas e páginas sobre a cena sem conseguir dar uma ideia verdadeira do que acontecia. A correria pelos corredores estreitos, as colisões, os gritos, as batalhas com engradados, bandejas e blocos de gelo, o calor, a escuridão, as altercações inflamadas que só não chegavam às vias de fato por falta de tempo – tudo isso supera qualquer descrição. Quem entrasse no subsolo pela primeira vez se julgaria num antro de loucos. Só mais tarde, quando compreendi o funcionamento de um hotel, foi que vi ordem em todo aquele caos.

Às oito e meia, o serviço acabava de repente. Não estávamos liberados até as nove, mas costumávamos nos esticar no chão e ficar ali deitados, descansando as pernas, preguiçosos demais até para ir ao frigorífico beber alguma coisa. Às vezes, o *chef du personnel* trazia garrafas de cerveja, oferta do hotel quando tínhamos um dia pesado. A comida que nos davam não passava de comível, mas o *patron* não era mesquinho com a bebida e liberava dois litros de vinho por dia para cada um de nós: sabia que, se um *plongeur* não ganha dois litros, rouba três. Também podíamos beber o resto das garrafas, de modo que, com frequência, bebíamos demais – uma coisa boa, pois se tem a sensação de trabalhar mais rápido quando se está meio bêbado.

    Quatro dias da semana eram assim; dos outros dois dias de trabalho, um era melhor e o outro, pior. Após uma semana nessa vida, senti necessidade de uma folga. Era noite de sábado e as pessoas do bistrô estavam ocupadas enchendo a cara; com um dia de folga pela frente, eu estava pronto para acompanhá-las. Fomos todos para a cama bêbados, às duas da manhã, com a intenção de dormir até o meio-dia. Às cinco e meia, fui subitamente acordado. Um vigia noturno, enviado pelo hotel, estava ao lado da minha cama. Puxou as cobertas e me sacudiu com violência.

    – Levanta!, disse. *Tu t'es bien saoulé la gueule, pas vrai?* Bem, não importa, está faltando um homem no hotel. Você tem de trabalhar hoje.

    – Por que tenho de trabalhar?, protestei. É o meu dia de folga.

    – Dia de folga coisa nenhuma! O trabalho precisa ser feito. Levanta!

    Levantei-me e saí, sentindo como se minhas costas estivessem quebradas e a cabeça ardendo em brasa. Não achei que conseguiria trabalhar um dia inteiro. No entanto, depois de apenas uma hora no subsolo, descobri que estava perfeitamente bem. Aquele calor dos porões, tal como num banho turco, parecia nos fazer expelir pelo suor quase tudo que se tinha bebido. Os *plongeurs* sabem disso, e contam com isso. Poder entornar litros de vinho e depois suar tudo antes que a bebida possa causar muitos danos é uma das compensações da vida deles.

Capítulo 12

"Meu dia ruim era quando eu lavava a louça da sala de jantar. Não precisava lavar os pratos, o que era feito na cozinha, mas só as outras louças, a prataria, facas e copos; mesmo assim, isso significava treze horas de trabalho e eu usava entre trinta e quarenta panos de prato durante o dia."

Sem dúvida, meus melhores momentos no hotel eram quando eu ajudava o garçom do quarto andar. Ele trabalhava numa pequena copa que se comunicava com a *cafeterie* por elevadores de serviço. Era um lugar deliciosamente fresco em comparação com os porões, e o principal trabalho ali era polir prataria e copos, o que é uma tarefa humana. Valenti, o garçom, era um tipo decente e me tratava quase como um igual quando estávamos sozinhos, embora tivesse de falar com grosseria quando havia outra pessoa presente, pois não fica bem para um garçom ser amigo de *plongeurs*.

Às vezes, quando tinha um dia bom, me dava uma gorjeta de cinco francos. Era um jovem gracioso de 24 anos, mas com aparência de dezoito e, como a maioria dos garçons, tinha boa postura e sabia se vestir bem. De casaca preta e gravata branca, com o rosto bem tratado e cabelos castanhos lisos, parecia um estudante de Eton; no entanto, se sustentava desde os doze anos de idade e subira na vida saído literalmente da sarjeta. Atravessar a fronteira italiana sem passaporte, vender castanhas em carrinho de mão nos bulevares do norte, ser condenado a cinquenta dias de prisão em Londres por trabalhar sem licença e ser comido por uma velha rica num hotel, que lhe deu um anel de diamantes e depois o acusou de tê-lo roubado, eram algumas de suas experiências. Eu gostava de conversar com ele nas horas de calmaria, quando sentávamos para fumar junto ao poço do elevador.

Meu dia pior era quando eu lavava a louça da sala de jantar. Não precisava lavar os pratos, o que era feito na cozinha, mas só as outras louças, a prataria, facas e copos; mesmo assim, isso significava treze horas de trabalho e eu usava entre trinta e quarenta panos de prato durante o dia. Os métodos antiquados empregados na França duplicam o trabalho de lavagem. Desconhecem-se os escorredores de pratos e não há sabão em flocos, só um sabão mole e grudento que se recusa a fazer espuma na água pesada de Paris. Eu trabalhava num cubículo sujo e lotado, um misto de copa e lavadouro, que dava direto para a sala de jantar. Além de lavar, tinha de apanhar a comida dos garçons e servir-lhes à mesa; a maioria deles era de uma insolência intolerável e precisei usar meus punhos mais de uma vez para ser tratado com simples civilidade. A pessoa que normalmente lavava era uma mulher, e eles tornavam a vida dela um inferno.

Era interessante olhar para aquela pequena copa imunda e pensar que apenas uma porta dupla nos separava da sala de jantar. Lá estavam os clientes em todo o seu esplendor – toalhas de mesa imaculadas, jarros de flores, espelhos, cornijas douradas e querubins pintados; e aqui, a poucos metros de distância, nós em nossa imundície nojenta. Porque era realmente uma imundície nojenta. Não havia tempo para varrer o chão até a noite e deslizávamos numa mistura de água com sabão, folhas de alface, papel rasgado e comida pisoteada. Uma dezena de garçons sem casaco, com seus sovacos suados à mostra, sentava-se à mesa misturando saladas e enfiando os polegares nos potes de creme. O lugar tinha um cheiro de comida e suor misturados. Nos armários, atrás das pilhas de louças, havia depósitos sórdidos de comida roubada pelos garçons. Havia apenas duas pias de cozinha e nenhum lugar para lavar as mãos, e não era incomum ver um garçom lavar o rosto na água em que se enxaguava a louça limpa. Mas os clientes não viam nada disso. Havia um capacho de fibra de coco e um espelho antes da porta do salão de jantar e os garçons costumavam se ajeitar e entrar parecendo o retrato da limpeza.

É curioso ver um garçom entrar no salão de jantar de um hotel. Quando ele passa pela porta, sofre uma súbita transformação. A posição dos ombros se altera; toda a sujeira, pressa e irritação desaparecem em um instante. Ele desliza pelo carpete com um ar solene de padre. Lembro de nosso maître d'hôtel assistente, um italiano feroz, fazendo uma pausa junto à porta do salão para se dirigir ao aprendiz que havia quebrado uma garrafa de vinho. Sacudindo o punho acima da cabeça, ele gritou (felizmente a porta era mais ou menos à prova de som):

– *Tu me fais chier.* Você se diz garçom, seu filhinho da puta? Você, um garçom! Você não serve nem para esfregar o chão do bordel de onde veio sua mãe. Maquereau!

Faltando-lhe as palavras, virou-se para a porta; ao abri-la, soltou um peido ruidoso, o insulto predileto dos italianos.

Depois entrou no salão e navegou por ele com o prato na mão, gracioso como um cisne. Dez segundos depois, fazia uma reverência diante de um freguês. E não se podia deixar de pensar, ao vê-lo se curvar e sorrir, com aquele sorriso afável de garçom experiente, que o cliente era levado a se envergonhar por ter tal aristocrata a servi-lo.

A lavagem era um serviço odioso – não difícil, mas indescritivelmente tedioso e estúpido. É horrível pensar que algumas pessoas passam décadas nessas ocupações. A mulher a quem eu substituía tinha mais de sessenta anos e ficava na pia treze horas por dia, seis dias por semana, o ano inteiro; além disso, era terrivelmente maltratada pelos garçons.

Ela contou que havia sido atriz – na verdade, imagino que prostituta; a maioria das prostitutas acaba como faxineira. Era estranho ver que, a despeito de sua idade e de sua vida, ela ainda usava uma peruca loira reluzente, passava sombra nos olhos e pintava o rosto como uma garota de vinte anos. Portanto, aparentemente, até uma semana de trabalho de 78 horas pode dar a alguém uma certa disposição.

Capítulo 13

"Mas não estávamos perdendo a cabeça ou desperdiçando tempo; apenas estimulávamos uns aos outros no esforço de espremer o trabalho de quatro horas em duas."

No meu terceiro dia no hotel, o *chef du personnel*, que em geral falava comigo num tom bastante agradável, me chamou e disse com ríspido:
– Ei, você, tire esse bigode de uma vez! *Nom de Dieu,* quem já ouviu falar de um *plongeur* de bigode?
Comecei a protestar, mas ele me interrompeu.
– Um *plongeur* de bigode – absurdo. Tome cuidado para que eu não o veja amanhã com ele.
A caminho de casa, perguntei a Bóris o que significava aquilo. Ele fez pouco:
– Você deve fazer o que ele diz, *mon ami*. Ninguém usa bigode num hotel, exceto os cozinheiros. Pensei que você tinha notado isso. Motivo? Não há motivo. É o costume.
Percebi que era uma questão de etiqueta, como não usar gravata branca com smoking, e raspei o bigode. Mais tarde, descobri a explicação do costume, que é a seguinte: os garçons de bons hotéis não usam bigode e, para mostrar sua superioridade, decretaram que os *plongeurs* também não devem usá-los; e os cozinheiros usam bigode para mostrar seu desprezo pelos garçons.
Existe um elaborado sistema de castas em um hotel. Nosso pessoal, que chegava a cerca de 110 pessoas, tinha o prestígio graduado de modo tão exato quanto o dos soldados, e um cozinheiro ou garçom estava tão acima de um *plongeur* quanto um capitão de um soldado raso. Acima de todos estava o gerente, que podia mandar embora qualquer um, até os cozinheiros. Jamais víamos o *patron* e tudo o que sabíamos dele era que suas refeições tinham de ser preparadas com mais cuidado que a dos clientes. Toda a disciplina do hotel dependia do gerente. Era um homem consciencioso e sempre de olho na indolência, mas éramos espertos demais para ele. Havia um sistema de campainhas de serviço em todo o hotel, e o pessoal o utilizava para mandar avisos. Um toque longo e outro curto, seguido por dois outros longos significava que o gerente estava vindo; quando isso acontecia, tratávamos de parecer ocupados.
Abaixo do gerente vinha o *maître d'hôtel*. Ele não servia mesas, a não ser para um lorde ou alguém desse nível, mas dirigia os outros garçons e ajudava no serviço. Suas gorjetas e a gratificação dos fabricantes de champanhe (dois francos por rolha devolvida) chegavam a duzentos francos por dia. Ocupava uma

posição bem separada do resto da equipe e fazia suas refeições numa sala privada, com prataria à mesa e dois aprendizes de jaquetas brancas e limpas para servi-lo. Um pouco abaixo do chefe dos garçons vinha o cozinheiro-chefe, que tirava cerca de 5 mil francos por mês; jantava na cozinha, mas numa mesa à parte, e era servido por um dos aprendizes de cozinheiro. Depois vinha o *chef du personnel*; ele ganhava apenas 1500 francos por mês, mas usava paletó preto, não fazia trabalho manual e podia despedir *plongeur*s e multar garçons.

Depois vinham os outros cozinheiros, que tiravam alguma coisa entre 3 mil francos e 750 francos por mês; depois, os garçons, que faziam cerca de 70 francos por dia em gorjetas, além de uma pequena remuneração fixa; depois as lavadeiras e as costureiras; depois os aprendizes de garçom, que não recebiam gorjetas, mas ganhavam 750 francos por mês; depois os *plongeur*s, com a mesma quantia; depois as camareiras, a quinhentos ou seiscentos francos por mês; e, por fim, os *cafetiers,* a quinhentos francos por mês. Nós da *cafeterie* éramos a escória do hotel, desprezados e tuteados por todos.

Existiam muitas outras categorias: os empregados do escritório, o almoxarife, o adegueiro, alguns carregadores e mensageiros, o homem do gelo, os padeiros, o vigia noturno, o porteiro. Diferentes serviços eram feitos por diferentes raças. Os empregados do escritório, os cozinheiros e as costureiras eram, em geral, franceses; os garçons, italianos e alemães (dificilmente se encontra um garçom francês em Paris); os *plongeur*s, de todos os países da Europa, além de árabes e negros. O francês era a língua franca e até os italianos a adotavam entre si.

Todos os setores tinham seus privilégios especiais. Em todos os hotéis de Paris, é hábito vender os pães despedaçados aos padeiros, por dezesseis soldos o quilo, e os restos da cozinha para criadores de porcos, por uma ninharia, e dividir o produto disso entre os *plongeur*s. Havia também muito furto. Todos os garçons roubavam comida – com efeito, raramente vi um garçom se preocupar em comer as rações fornecidas pelo hotel –, e os cozinheiros faziam isso em larga escala na cozinha, e nós, na *cafeterie*, surrupiávamos chá e café. O adegueiro roubava conhaque. Era regra do hotel os garçons não terem permissão para guardar bebidas alcoólicas, então eles precisavam ir até a adega para buscar as bebidas pedidas pelos clientes. Enquanto servia os drinques, o adegueiro retirava talvez uma colher de cada copo, e assim acumulava bebidas. Vendia o conhaque roubado por cinco soldos a dose, se achasse que podia confiar em você.

No meio do pessoal tinha ladrões, e se você deixasse dinheiro no bolso do casaco, geralmente ele sumia. O porteiro, que fazia nossos pagamentos e nos revistava em busca de comida roubada, era o maior ladrão do hotel. Dos meus quinhentos francos mensais, esse sujeito conseguiu me surrupiar 114 francos em seis semanas. Como eu pedira para ser pago por dia, o porteiro me pagava 16 francos toda noite, e, por não me pagar no domingo (dinheiro ao qual eu tinha direito), ele embolsou 64 francos.

Do mesmo modo, eu trabalhava às vezes num domingo e não sabia que por isso tinha direito a um pagamento extra de 25 francos, que o porteiro jamais me pagou, embolsando, assim, mais 75 francos. Só me dei conta de que estava sendo enganado na última semana e, como não podia provar nada, só 25 francos me foram reembolsados. O porteiro aplicava golpes semelhantes em qualquer empregado que fosse suficientemente tolo para ser enganado. Ele se dizia grego, mas na verdade era armênio. Depois de conhecê-lo, percebi a verdade do provérbio: "Confie mais numa serpente do que num judeu, mais num judeu do que num grego, mas jamais confie num armênio".

Entre os garçons tinha tipos esquisitos. Um deles era um cavalheiro – um jovem que fizera universidade e tivera um emprego bem pago no escritório de uma empresa. Pegara uma doença venérea, perdera o emprego, o rumo e agora se considerava um afortunado por ser garçom.

Muitos dos garçons haviam entrado na França sem passaporte e um ou dois deles eram espiões – é comum os espiões adotarem essa profissão. Um dia, houve uma briga terrível na sala de refeições dos garçons, entre Morandi, um sujeito de aparência perigosa, com olhos bem separados, e outro italiano. Parece que Morandi havia roubado a amante do outro, o qual, covarde e com medo de Morandi, lhe fazia ameaças vagas. Morandi zombou dele:

— E daí, o que você vai fazer? Dormi com sua garota, dormi com ela três vezes. Foi ótimo. O que você vai fazer, hein?

— Posso denunciá-lo para a polícia secreta. Você é um espião italiano.

Morandi não negou a acusação. Simplesmente tirou uma navalha do bolso de trás e deu dois golpes no ar, como se cortasse o rosto de um homem. Diante disso, o outro garçom retirou o que havia dito.

O tipo mais estranho que vi no hotel foi um trabalhador avulso. Havia sido contratado a 25 francos por dia para substituir Magiar, que estava doente. Era sérvio, um sujeito atarracado e esperto de uns 25 anos, que falava seis línguas, inclusive inglês. Parecia conhecer tudo sobre serviço de hotel, e até a metade do dia labutou como um escravo.

Assim que deu meio-dia, ficou rebelde, não ligou para o trabalho, roubou vinho e ficou circulando abertamente com um cachimbo na boca. Fumar, evidentemente, era proibido e acarretava penalidades severas. O próprio gerente soube daquilo e desceu para falar com o sérvio, espumando de raiva.

— Por que diabos você está fumando aqui?, gritou.

— Por que diabos você tem essa cara?, respondeu o sérvio calmamente.

Impossível transmitir a ofensa que essa resposta significava. Se um *plongeur* falasse com o cozinheiro-chefe daquele jeito, teria recebido uma panela de sopa quente na cara. O gerente disse imediatamente "Você está na rua!", e às duas horas o sérvio recebeu seus 25 francos e foi devidamente demitido. Antes de ele ir embora, Bóris perguntou-lhe em russo qual era a jogada dele. O sérvio respondeu:

— Veja, *mon vieux,* eles têm de me pagar um dia de salário se eu trabalhar até o meio-dia, certo? É o que manda a lei. E que sentido faz trabalhar depois que ganhei meu salário? Então vou lhe contar o que faço. Vou até um hotel, arranjo um trabalho de extra, e dou duro até o meio-dia. Então, no momento em que batem as doze, começo a criar tanto problema que eles não têm escolha senão me mandar embora. Beleza, hein? Na maioria das vezes, sou despedido ao meio-dia e meia; hoje eram duas horas; mas não me importo, economizei quatro horas de trabalho. O único problema é que não posso fazer a mesma coisa duas vezes no mesmo hotel.

Parece que ele havia feito essa jogada em metade dos hotéis e restaurantes de Paris. Provavelmente é um golpe fácil de dar durante o verão, embora os hotéis se protejam contra isso o melhor que podem com uma lista negra.

Capítulo 14

"A camareira tinha um amante na padaria e ele assara o anel dentro de um pão, e lá ficou escondido até o final da busca."

Logo captei os princípios básicos da direção do hotel. O que espantaria quem entrasse pela primeira vez nas áreas de serviço de um hotel seria o barulho terrível e a desordem durante as horas de pico. É algo tão diferente do trabalho em uma loja ou fábrica que à primeira vista parece resultado de má gerência. Mas é, de fato, inevitável, e por um bom motivo. O trabalho em hotel não é particularmente duro, porém, por sua natureza, acontece em ondas e não pode ser feito com antecedência. Você não pode, por exemplo, fritar um bife duas horas antes de ele ser pedido; é preciso esperar até o último momento, quando inumeráveis outras tarefas já se acumularam, e então fazer tudo junto, numa pressa frenética. O resultado é que, nos horários das refeições, todo mundo trabalha por dois, o que é impossível ocorrer sem barulho e discussão. Com efeito, as altercações são uma parte necessária do processo, pois não haveria paz se cada um deixasse de acusar o resto de indolência. Por isso, nas horas de pico todo o pessoal vociferava e praguejava como demônios. Nesses momentos, dificilmente havia outro verbo no hotel que não fosse *foutre*. Uma garota de dezesseis anos da padaria dizia palavrões mais cabeludos do que um cocheiro. Sem dúvida Shakespeare observou-os no trabalho. Mas não estávamos perdendo a cabeça ou desperdiçando tempo; apenas estimulávamos uns aos outros no esforço de espremer o trabalho de quatro horas em duas.

O que conserva um hotel em funcionamento é o fato de que os empregados sentem um orgulho genuíno de seu trabalho, por mais besta e estúpido que ele seja. Se alguém faz corpo mole, os outros logo descobrem e conspiram para que seja mandado embora. Cozinheiros, garçons e *plongeurs* têm pontos de vista muito diferentes, mas todos são parecidos no orgulho que sentem de sua eficiência.

Sem dúvida, a categoria mais profissional e menos servil é a dos cozinheiros. Eles não ganham tanto quanto os garçons, mas seu prestígio é maior e seu emprego mais estável. O cozinheiro não se considera um criado, mas um operário especializado; é chamado geralmente de *"un ouvrier"*, o que um garçom jamais é. Ele conhece seu poder – sabe que, sozinho, pode levantar ou arruinar um restaurante e que, se atrasar cinco minutos, tudo fica fora dos eixos. Despreza o resto do pessoal que não é cozinheiro e faz questão de insultar todos abaixo do chefe dos garçons. E sente um verdadeiro orgulho artístico de seu trabalho, que exige muita perícia. O mais difícil não é cozinhar, mas fazer tudo a tempo. Entre o café da manhã e o almoço, o cozinheiro-chefe do hotel X. recebia pedidos de várias centenas de pratos, todos a serem servidos em momentos diferentes; alguns, ele preparava pessoalmente, mas dava instruções sobre todos e os inspecionava antes de liberá-los. Sua memória era maravilhosa. Os pedidos eram pregados num quadro, mas o cozinheiro-chefe raramente olhava para eles; tudo estava guardado em sua cabeça, e no momento exato em que cada prato deveria estar pronto, ele gritava infalivelmente *"Faites marcher une côtelette de veau"* (sei lá o que era isso). Era um tirano insuportável, mas também um artista. É graças à pontualidade, e não por nenhuma superioridade técnica, que os restaurantes preferem cozinheiros a cozinheiras.

Para o garçom é bem diferente. De certa forma ele também se orgulha de sua habilidade, mas ela é, principalmente, a de ser servil. O trabalho não lhe dá a mentalidade de um operário, mas de um esnobe. Ele vive perpetuamente à vista de gente rica, fica ao lado de suas mesas, escuta suas conversas, puxa-lhes o saco com sorrisos e piadinhas discretas. Sente prazer de gastar dinheiro por procuração. Além disso, há sempre uma chance de que também possa ficar rico, pois, embora a maioria dos garçons morra pobre, ocasionalmente eles têm longos períodos de sorte. Em alguns cafés do Grand Boulevard há tanto dinheiro a ser ganho que os garçons chegam a pagar ao *patron* pelo emprego. O resultado é que, entre a visão constante do dinheiro e a esperança de obtê-lo, o garçom acaba por se identificar, em certa medida, com seus patrões. Ele se esforçará para servir uma refeição com estilo porque sente que participa da refeição.

Valenti me contou sobre um banquete no qual trabalhou em Nice que custou 200 mil francos e que foi comentado durante meses.

– Foi esplêndido, mon p'tit, mais magnifique! Meu Deus! O champanhe, a prataria, as orquídeas – nunca vi coisa igual, e olha que já vi muita coisa. Ah, foi uma glória!

– Mas você estava lá só para servir?, perguntei.

— Ah, claro. Mesmo assim, foi esplêndido.

Nunca sinta pena de um garçom. Às vezes, quando sentamos num restaurante e ficamos nos empanturrando até meia hora depois da hora de fechar, achamos que o exausto garçom ao nosso lado certamente deve estar nos desprezando. Mas não. Enquanto olha para nós ele não está pensando "Mas que palerma empanturrado"; está pensando: "Um dia, quando eu tiver economizado dinheiro suficiente, poderei fazer como esse sujeito". Ele está prestando serviços para um tipo de prazer que compreende e admira completamente. Por isso os garçons quase nunca são socialistas, não têm um sindicato eficaz e trabalham doze horas por dia — em muitos cafés trabalham quinze horas por dia, sete dias por semana. Eles são esnobes e acham a natureza servil de seu trabalho bastante apropriada.

Os *plongeurs* também têm um jeito diferente. O trabalho deles não oferece nenhuma perspectiva, é intensamente exaustivo e, ao mesmo tempo, não tem um traço de habilidade ou interesse; é o tipo de trabalho que seria sempre feito por mulheres, se elas fossem suficientemente fortes. Tudo que se exige deles é que estejam em uma constante correria e que aguentem longas horas de trabalho e uma atmosfera abafada. Não têm como escapar dessa vida, pois não conseguem economizar um tostão do salário, e as sessenta a cem horas de trabalho semanais não lhes deixam tempo para aprender outra coisa. O melhor que podem esperar é achar um emprego um pouco mais leve, como guarda-noturno ou encarregado de banheiro.

Por mais que estejam por baixo, os *plongeurs* também demonstram um tipo de orgulho. É o orgulho do burro de carga — o homem que suporta qualquer quantidade de trabalho. Nesse nível, o mero poder de trabalhar como um boi é praticamente a única virtude alcançável. *Débrouillard*, é como todo *plongeur* quer ser chamado. Um *débrouillard* é um homem que, mesmo quando o mandam fazer o impossível, consegue se *débrouiller* — se virar e fazer a coisa. Um dos *plongeurs* da cozinha do hotel X., um alemão, era bem conhecido como *débrouillard*. Uma noite, um lorde inglês chegou ao hotel e os garçons ficaram desesperados, pois ele pediu pêssegos, e não havia nenhum em estoque. Era tarde da noite e as lojas estavam fechadas.

– "Deixem comigo, disse o alemão.

Ele saiu e em dez minutos voltou com quatro pêssegos. Havia ido a um restaurante vizinho e roubado as frutas. É isso que significa ser um *débrouillard*. O lorde inglês pagou vinte francos por pêssego.

Mario, o encarregado da *cafeterie*, tinha a típica mentalidade servil. Tudo em que ele pensava era dar conta do *"boulot"* e nos desafiava a dar tudo de nós. Catorze anos no subsolo o deixaram com tanta preguiça natural quanto uma biela. *"Faut être un dur"*, costumava dizer quando alguém se queixava. Ouve-se com frequência os *plongeur*s vangloriar-se de serem durões – como se fossem soldados, e não faxineiros.

Assim, todos no hotel tinham lá seu senso de honra, e quando a pressão do trabalho chegava, estávamos prontos para um enorme esforço combinado para vencer. A guerra constante entre os diferentes departamentos também ajudava na eficiência, pois todos se agarravam a seus privilégios e tentavam impedir a indolência e o furto dos outros. Esse é o lado bom do trabalho de hotel.

A imensa e complicada máquina de um hotel só consegue ser mantida em funcionamento por uma equipe inadequada porque cada homem tem uma tarefa bem definida e a cumpre escrupulosamente. Mas há um ponto fraco: o trabalho que o pessoal está fazendo não é necessariamente aquele pelo qual o hóspede paga. Do ponto de vista do cliente, ele paga por um bom serviço; o empregado é pago, no seu modo de ver, pelo *boulot* – o que significa, como regra, uma imitação do bom serviço. O resultado é que, embora sejam milagres de pontualidade, nas coisas que importam os hotéis são piores do que as piores casas de família.

Veja a limpeza, por exemplo. A imundície no hotel X., assim que se penetrava nas áreas de serviço, era revoltante. A *cafeterie* tinha sujeira de anos em todos os cantos escuros, e a caixa do pão estava infestada de baratas. Certa vez, sugeri a Mario que matássemos esses insetos.

– Por que matar as coitadinhas?, disse ele em tom reprovador.

Riam quando eu queria lavar as mãos antes de tocar na manteiga. Contudo, éramos limpos quando reconhecíamos a limpeza como parte do *boulot*. Esfregávamos as mesas e sempre políamos os utensílios de metal, pois recebíamos ordens para fazer isso; mas não recebíamos ordens para ser totalmente limpos e, de qualquer modo, não tínhamos tempo para isso. Estávamos apenas cumprindo nossas obrigações; e como nosso primeiro dever era ser pontual, economizávamos tempo sendo sujos.

A sujeira era pior na cozinha. Não é uma figura de linguagem, é apenas mera constatação dizer que um cozinheiro francês cuspirá na sopa – isto é, se não é ele que vai tomá-la. Ele é um artista, mas sua arte não é a da limpeza. Até certo ponto, é sujo porque é um artista, pois a comida, para parecer requintada, precisa de um tratamento sujo. Por exemplo, quando um bife é levado para a inspeção do cozinheiro-chefe, ele não o manuseia com um garfo. Ele pega a carne com os dedos e joga-a de volta no prato, passa o polegar ao redor do prato e o lambe para experimentar o molho, repete essa operação, em seguida recua e contempla o pedaço de carne como um artista que avalia um quadro, depois o empurra carinhosamente para o lugar com seus dedos gordos e rosados, os quais já lambeu cem vezes naquela manhã. Quando se dá por satisfeito, pega um pano e limpa suas digitais do prato e o passa para o garçom. E o garçom, claro, mergulha os seus dedos no molho – os dedos asquerosos e engordurados que está sempre passando por seus cabelos cheios de brilhantina. Sempre que alguém paga mais do que, digamos, dez francos por um prato de carne em Paris, pode ter certeza que ele foi manuseado dessa maneira. Em restaurantes muito baratos é diferente; ali, não há a mesma preocupação com a comida e o bife é simplesmente tirado com um garfo da frigideira e jogado no prato, sem manuseio. Grosso modo, quanto mais se paga pela comida, mais suor e cuspe se é obrigado a engolir.

A sujeira faz parte de hotéis e restaurantes porque a comida saudável é sacrificada em nome da pontualidade e da apresentação. O empregado do hotel está ocupado demais em aprontar o prato para lembrar que ele é feito para ser comido. Para ele, uma refeição é simplesmente *"une commande"*, assim como um homem morrendo de câncer é apenas "um caso" para o médico.

Um cliente pede, por exemplo, uma torrada. Alguém, pressionado pelo trabalho em um porão nas profundezas do subsolo, tem de prepará-la. Como ele pode parar e dizer a si mesmo: "Esta torrada é para ser comida, devo fazê-la comestível"? Tudo o que ele sabe é que ela deve ter a aparência correta e ficar pronta em três minutos. Alguns pingos grossos de suor caem de sua testa na torrada. Por que se preocupar com isso? Depois a torrada cai na serragem imunda do chão. Por que se dar ao trabalho de fazer outra? É muito mais rápido limpar a serragem. A caminho da sala de jantar, a torrada cai de novo, com o lado da manteiga para baixo. Outra limpada, é tudo de que ela precisa. E o mesmo se dá com todo o resto. A única comida preparada com limpeza no hotel X. era a dos funcionários e a do *patron*. A máxima, repetida por todos, era: "Cuidado com o *patron* e, quanto aos clientes, *s'en fout pas mal!*". Em todos os cantos das áreas de serviço reinava a sujeira – uma veia secreta que atravessava todo o vistoso hotel como os intestinos no corpo humano.

Além disso, o *patron enganava sempre* os clientes. A maioria dos ingredientes dos pratos era muito ruim, mas os cozinheiros sabiam como servi-los com estilo. A carne, na melhor das hipóteses, era ordinária, e quanto aos legumes e verduras, nenhuma dona de casa olharia para eles no mercado. O creme, por ordem expressa, era diluído com leite. O café e o chá eram de um tipo inferior, e a geleia uma coisa sintética tirada de enormes latas sem rótulo. Todos os vinhos mais baratos, conforme Bóris, eram *vin ordinaire* arrolhados. Havia uma regra segundo a qual os empregados deveriam pagar por qualquer coisa que estragassem e, em consequência, essas coisas raramente eram jogadas fora. Uma vez, o garçom deixou cair um frango assado no poço do nosso elevador de serviço e ele foi dar numa pilha de restos de pão, papel rasgado e coisas assim. Nós simplesmente limpamos o frango com um pano e o mandamos de volta. Lá em cima circulavam histórias de lençóis usados apenas uma vez que não eram lavados, mas simplesmente umedecidos, passados e postos de volta nas camas. O *patron* era tão mesquinho conosco quanto com os hóspedes. Em todo aquele enorme hotel não havia, por exemplo, algo como escova e pá de lixo; tínhamos de nos virar com vassoura e um pedaço de papelão. O banheiro dos funcionários era digno da Ásia Central, e não havia outro lugar para lavar as mãos exceto as pias usadas para lavar a louça do hotel.

E o hotel X. estava entre os dez mais caros de Paris, e os hóspedes pagavam preços espantosos. O preço de uma diária comum, sem café da manhã, era duzentos francos. Todos os vinhos e produtos de tabacaria eram vendidos por exatamente o dobro do preço das lojas, embora o *patron* os comprasse a preço de atacado, evidentemente. Se o hóspede tinha um título de nobreza ou fama de milionário, todas as suas tarifas subiam automaticamente. Certa manhã, no quarto andar, um americano que estava de dieta quis apenas sal e água quente no café da manhã. Valenti ficou furioso. "Meu Deus!", disse, "e os meus dez por cento? Dez por cento em cima de sal e água!" E cobrou 25 francos pelo café da manhã. O cliente pagou sem dar um pio.

Segundo Bóris, a mesma coisa acontecia em todos os hotéis de Paris, ou pelo menos em todos os grandes e caros. Mas imagino que era especialmente fácil burlar os hóspedes do hotel X., pois eles eram, na maioria, americanos, com uma pitada de inglês – nada de francês –, e pareciam desconhecer tudo sobre boa comida. Empanturravamse com repulsivos cereais americanos, comiam geleia de laranja com o chá, bebiam vermute depois do jantar e pediam poulet à la reine, que custava cem francos, para depois encharcá-lo de molho inglês. Um cliente de Pittsburgh jantava todas as noites, no quarto, cereais Grape-Nuts, ovos mexidos e chocolate. Talvez tenha pouca importância se esse tipo de gente é burlado ou não.

Capítulo 15

"Depressa!', gritei para Maria, 'leva para mim. Leva ao armazém da esquina – corre como o demônio. E traz comida de volta!'

Escutei casos estranhos no hotel. Casos de drogados, de velhos depravados que frequentavam hotéis em busca de jovens e belos mensageiros, de roubos e chantagens. Mário falou-me de um hotel em que trabalhara onde uma camareira roubou um inestimável anel de diamantes de uma senhora americana. Durante dias os funcionários foram revistados quando saíam do trabalho, e dois detetives vasculharam o hotel de cima a baixo, mas o anel nunca foi encontrado. A camareira tinha um amante na padaria e ele assara o anel dentro de um pão, e lá ficou escondido até o final da busca.

Valenti, numa hora de folga, me contou uma história pessoal:

– Sabe, *mon p'tit,* essa vida de hotel é muito boa, mas é um inferno quando você está sem trabalho. Suponho que você saiba o que é ficar sem comer, hein? *Forcément,* senão não estaria lavando pratos. Bem, não sou um pobre-diabo de um *plongeur*; sou garçom, e uma vez eu passei cinco dias sem comer. Cinco dias, meu Deus, sem nem mesmo uma casca de pão! Vou lhe contar, aqueles cinco dias foram um inferno. A única coisa boa foi que eu havia pagado o aluguel adiantado. Estava morando num hotelzinho barato e imundo da Rue Sainte Éloïse, no Quartier Latin. Chamava-se hotel Suzanne May, em homenagem a uma famosa prostituta do tempo do Império. Eu estava morrendo de fome e não havia nada que eu pudesse fazer; não podia nem ir aos cafés onde os proprietários de hotéis vão contratar garçons, pois não tinha dinheiro para pagar um drinque. Tudo o que podia fazer era ficar na cama, cada vez mais fraco, observando os percevejos correndo pelo teto. Não quero passar por isso de novo, isso eu lhe garanto.

– Na tarde do quinto dia, fiquei meio louco; pelo menos, é o que me parece agora. Havia uma gravura velha e apagada de uma cabeça de uma mulher, pendurada na parede do meu quarto, e comecei a imaginar quem ela poderia ser; depois de cerca de uma hora, me dei conta de que deveria ser santa Heloísa, a padroeira da rua. Eu jamais havia notado aquela coisa antes, mas ali, enquanto a observava deitado, uma ideia extraordinária veio à minha cabeça. "'*Écoute, mon cher*', disse a mim mesmo, 'você vai morrer de fome se isso continuar por muito tempo. Você precisa fazer alguma coisa. Por que não tenta uma oração para santa Heloísa? Fica de joelhos e pede a ela para que mande algum dinheiro. Afinal, isso não pode causar nenhum mal. Tenta! Loucura, hein? Mas um homem é capaz de qualquer coisa quando está com fome. Além disso, como eu disse, mal não podia fazer. Saí da cama e comecei a rezar. Disse: "Querida santa Heloísa, se a senhora existe, por favor me mande algum dinheiro. Não peço muito — só o suficiente para comprar um pouco de pão e uma garrafa de vinho e recuperar minhas forças. Três ou quatro francos seriam suficientes. A senhora não sabe como serei agradecido, Santa Heloísa, se me ajudar desta vez. E, tenha certeza, se me mandar algum dinheiro, a primeira coisa que farei será sair e acender uma vela para a senhora, na sua igreja lá adiante na rua. Amém". Falei da vela porque havia escutado dizer que santos gostam de velas acesas em sua homenagem. Eu pretendia cumprir a promessa, claro. Mas como sou ateu não acreditava realmente que alguma coisa fosse sair dali.

— Bem, voltei para a cama e cinco minutos depois bateram na porta. Era uma garota chamada Maria, uma camponesa grande e gorda que morava em nosso hotel. Era muito burra, mas de bom caráter, e não me importei que me visse naquele estado. Ela exclamou ao me ver: *'Nom de Dieu!,* o que há com você? O que está fazendo na cama a esta hora do dia? *T'en as une mine!* Você parece mais um cadáver do que um homem'. Provavelmente eu estava um horror. Fazia cinco dias que não comia, a maior parte do tempo na cama, e três dias que não me lavava nem fazia a barba. O quarto estava uma pocilga também.

— Qual é o problema?, perguntou Maria de novo.

— O problema! Cacete! Estou faminto. Não como há cinco dias. Este é o problema.'

— Maria ficou horrorizada. '"Não come há cinco dias?', disse ela. 'Mas por quê? Está sem dinheiro então?'

— Acha que eu estaria morrendo de fome se tivesse dinheiro? Tenho só cinco soldos no bolso e pendurei tudo. Olha em volta e vê se ainda tem alguma coisa que eu possa vender ou empenhar. Se achar alguma coisa que renda cinquenta cêntimos, você é mais esperta do que eu.

– Maria começou a olhar ao redor do quarto. Fuçou aqui e ali, no meio do monte de lixo que estava espalhado pelo chão e então, de repente, ficou muito. Seus lábios grandes e grossos ficaram boquiabertos de espanto.

– Seu idiota!', gritou. 'Imbecil! O que é isto então?

– Vi que ela pegou um vasilhame de óleo vazio que jazia num canto. Eu o havia comprado semanas antes para uma lamparina que eu tinha antes de vender minhas coisas.

– Isto? Isto é um *bidon* de óleo. O que é que tem?

– Imbecil! Você não pagou três francos e cinquenta de depósito por ele?

– Ora, é evidente que eu paguei os três francos e cinquenta. Eles sempre fazem você pagar um depósito sobre o *bidon* que você recebe de volta quando devolve. Mas eu tinha me esquecido disso.

– Paguei, comecei a dizer.

– Idiota!, gritou Maria de novo. Ficou tão excitada que começou a andar em círculos até eu achar que seus tamancos iam atravessar o chão. "Idiota! *T'es fou! T'es fou!* Você só tem de voltar na loja e pegar seu depósito de volta! Morrendo de fome, com três francos e meio nas fuças! Imbecil!

– Mal posso acreditar agora que em todos aqueles cinco dias, em nenhum momento pensei em devolver o *bidon* à loja. Valia três francos e cinquenta em dinheiro vivo e nunca me lembrei daquilo! Sentei-me na cama. "Depressa!", gritei para Maria, leva para mim. Leva ao armazém da esquina – corre como o demônio. E traz comida de volta!"

– Maria não precisava de instruções. Ela pegou o *bidon* e foi batendo tamancos escada abaixo como uma manada de elefantes, e em três minutos estava de volta com um quilo de pão embaixo de um braço e uma garrafa de meio litro de vinho embaixo do outro.

– Nem parei para lhe agradecer; apenas peguei o pão e enfiei os dentes nele. Você já notou o gosto do pão quando passou fome por muito tempo? Frio, úmido, pastoso, quase como massa de vidraceiro. Mas, meu Deus, como estava bom! Quanto ao vinho, bebi de um gole só, e pareceu ir direto para minhas veias e correr por todo o meu corpo como sangue novo. Ah, que diferença aquilo fez! Devorei o quilo de pão sem parar para respirar. Maria ficou me observando comer, com as mãos na cintura. "Então, se sente melhor, hein?", perguntou quando terminei. "'Melhor? Sinto-me perfeito! Não sou o mesmo homem de cinco minutos atrás. Só tem uma coisa no mundo de que preciso agora – um cigarro.

– Maria pôs a mão no bolso do avental. "Não vai dar para o cigarro", disse. Não tenho dinheiro. Isto é tudo o que sobrou dos seus três francos e cinquenta – sete soldos. Não dá: o maço do cigarro mais barato custa doze soldos. "'Então posso comprar! Meu Deus, que sorte! Tenho mais cinco soldos – é o suficiente."

– Maria pegou os doze soldos e já ia saindo para a tabacaria. Então me lembrei de algo que me esquecera todo aquele tempo. Aquela maldita Santa Heloísa! Eu lhe havia prometido uma vela se ela me mandasse dinheiro; e realmente, quem poderia dizer que a prece não havia funcionado? 'Três ou quatro francos', eu havia dito; e no instante seguinte vieram os três francos e cinquenta. Não havia como escapar. Eu precisava gastar meus doze soldos numa vela.

– Chamei Maria de volta. "Esquece', falei, tem a Santa Heloísa – prometi a ela uma vela. Terei de gastar os doze soldos nisso. Estúpido, não é? Não posso comprar meus cigarros, afinal. "Santa Heloísa?', questionou Maria. 'O que é que tem a Santa Heloísa?" "Rezei para ela por dinheiro e lhe prometi uma vela', expliquei. Ela respondeu à minha prece – de qualquer jeito, o dinheiro apareceu. Tenho de comprar uma vela. É chato, mas parece que devo cumprir a promessa."Mas como Santa Heloísa veio na sua cabeça?" "Foi o retrato dela, disse eu, e lhe expliquei a coisa toda. "Ali está ela", e apontei para a pintura na parede.

– Maria olhou para o retrato e depois, para minha surpresa, começou a rir. Riu sem parar, batendo os tamancos pelo quarto e segurando seus quadris gordos, como se eles fossem explodir. Achei que ela tinha enlouquecido. Demorou dois minutos para que conseguisse falar. "Idiota!", gritou finalmente. *T'es fou! T'es fou!* Está me dizendo que se ajoelhou realmente e rezou para aquela imagem? Quem lhe disse que era Santa Heloísa?" "Mas eu estava certo de que era Santa Heloísa!" "'Imbecil! Não é a

Santa Heloísa coisa nenhuma. Adivinha quem é?" 'Quem?' "'É Suzanne May, a mulher que dá nome a este hotel".

– Eu havia rezado para Suzanne May, a famosa prostituta do Império... Mas, no fim das contas, não me arrependi. Maria e eu rimos muito e depois conversamos e concluímos que eu não devia nada para Santa Heloísa. Estava claro que não fora ela que respondera à minha oração, e não havia necessidade de comprar-lhe uma vela. Então, acabei comprando meu maço de cigarros.

Capítulo 16

"Imbecil! Não é a Santa Heloísa coisa nenhuma. Adivinha quem é?" "'Quem?' "'É Suzanne May, a mulher que dá nome a este hotel."

O Auberge Jehan Cottard não dava sinais de abrir. Bóris e eu fomos lá um dia, em nosso intervalo da tarde, e vimos que nenhuma das reformas havia sido feita, exceto as pinturas indecentes, e que havia três cobradores, em vez de dois. O *patron* recebeu-nos com sua usual brandura e, no instante seguinte, virou-se para mim (seu futuro lavador de pratos) e pediu cinco francos emprestados. Depois disso, tive certeza de que o restaurante jamais iria além da conversa fiada. O *patron*, porém, marcou de novo a inauguração para "exatamente quinze dias a contar de hoje" e nos apresentou à mulher que seria a cozinheira, uma russa do Báltico de um metro e meio de altura e um metro de quadris. Ela nos contou que fora cantora antes de se rebaixar a cozinheira e que era muito artística e adorava literatura inglesa, especialmente *La case de l'oncle Tom*.

Em quinze dias, eu me habituara tanto à rotina de um *plongeur* que mal conseguia imaginar algum outro trabalho. Era uma vida sem muitas variações. Às quinze para as seis, eu acordava com um repentino sobressalto, me enfiava em roupas endurecidas pela gordura e saía correndo com o rosto sujo e com os músculos doloridos. Amanhecia e as janelas estavam escuras, exceto a dos cafés dos operários. O céu era um vasto e plano muro de cobalto, com tetos e agulhas de torres de papel preto coladas nele. Homens sonolentos varriam as calçadas com vassouras de galhos de cabo longo, e famílias maltrapilhas fuçavam em latas de lixo. Operários e garotas com um pedaço de chocolate em uma das mãos e um croissant na outra entravam nas estações de metrô aos borbotões. Bondes lotados de mais operários passavam ruidosa e lugubremente. Apressava-me até a estação, brigava por um lugar – é preciso literalmente lutar no metrô de Paris às seis da manhã – e ficava imprensado pela massa flutuante de passageiros, cara a cara com algum horrendo rosto francês exalando vinho azedo e alho. E depois eu descia para o labirinto do porão do hotel e esquecia a luz do dia até as duas da tarde, quando o sol estava quente e a cidade tomada por pessoas e carros.

Após a primeira semana no trabalho, passei a dormir no intervalo da tarde ou senão, quando tinha dinheiro, ia para um bistrô. Com exceção de alguns garçons ambiciosos, que iam para aulas de inglês, todo o pessoal desperdiçava seu lazer dessa maneira; sentíamo-nos preguiçosos demais depois do trabalho da manhã para fazer qualquer coisa melhor. Às vezes, uma meia dúzia de *plongeur*s formava um grupo e ia a um bordel abominável da Rue de Sieyès, onde cobravam apenas cinco francos e 25 cêntimos – dez xelins e meio pêni. Apelidavam isso de "le prix-fixe" e costumavam descrever suas experiências naquele lugar como uma grande piada. Era o rendez-vous favorito de empregados de hotel. O salário dos *plongeur*s não lhes permitia casar e, sem dúvida, o trabalho no subsolo não estimula sentimentos exigentes.

Nas outras quatro horas, ficava de novo nos porões e depois ressurgia, suando, na rua fria. Já era hora da luz artificial – aquele estranho brilho arroxeado das lâmpadas de Paris – e, ao longe, a torre Eiffel cintilava de alto a baixo com luzes em ziguezague, como enormes serpentes de fogo. Correntes de carros deslizavam em silêncio para lá e para cá, e mulheres de aparência refinada à luz fraca passeavam pela galeria. Às vezes, uma mulher lançava um olhar para Bóris ou para mim e depois, ao ver nossas roupas ensebadas, desviava rapidamente o olhar. Eu travava outra batalha no metrô e chegava em casa às dez horas.

Das dez à meia-noite, eu costumava ir a um pequeno bistrô de nossa rua, um lugar subterrâneo frequentado por trabalhadores braçais árabes. Era um lugar ruim, cheio de brigas e, às vezes, eu via garrafas voando – uma vez com um resultado terrível –, mas, via de regra, os árabes brigavam entre si e deixavam os cristãos sossegados. O araque, uma bebida árabe, era muito barato e o bistrô estava sempre aberto, pois os árabes – homens de sorte – tinham a capacidade de trabalhar o dia inteiro e de beber a noite inteira.

Essa era a vida típica de um *plongeur* e, na época, não me parecia ruim. Eu não tinha a sensação de pobreza, porque, mesmo depois de pagar o aluguel e separar o suficiente para cigarros, passagens e minha comida aos domingos, ainda sobravam quatro francos por dia para beber, e quatro francos era uma fortuna. Eu sentia – é difícil exprimir isto – uma espécie de contentamento pesado, a satisfação que um animal bem alimentado talvez sinta, com aquela vida que se tornara tão simples. Pois nada poderia ser mais simples do que a vida de um *plongeur*.

Ele vive num ritmo entre o trabalho e o sono, sem tempo para pensar, pouco consciente do mundo exterior; sua Paris se reduz ao hotel, metrô, alguns bistrôs e cama. Se sai da trilha, não vai além de algumas ruas adiante, num passeio com alguma criadinha que senta em seu joelho engolindo ostras e bebendo cerveja. No dia de folga, fica na cama até o meio-dia, veste uma camisa limpa, joga dados por bebida e depois do almoço volta para a cama. Nada é muito real para ele, exceto o *boulot*, beber e dormir; e dentre essas coisas, dormir é a mais importante.

Certa noite, nas primeiras horas da madrugada, houve um assassinato bem embaixo da minha janela. Fui acordado por uma terrível gritaria e, ao chegar à janela, vi um homem estirado nas pedras da rua. Consegui ver os assassinos – eram três – fugindo no final da rua. Alguns de nós descemos e descobrimos que o homem estava bem morto: sua cabeça fora quebrada com um pedaço de cano de chumbo. Lembro a cor de seu sangue, curiosamente púrpura, como vinho; ainda estava na calçada quando voltei para casa naquela noite, e disseram que escolares tinham vindo de longe para vê-lo. Mas o que me impressiona ao recordar isso é que, três minutos depois do crime, eu já estava de volta à cama e dormindo. E o mesmo aconteceu com a maioria das pessoas da rua; apenas nos asseguramos de que o homem estava liquidado e voltamos direto para a cama. Éramos trabalhadores, e que sentido fazia perder o sono com um assassinato?

O emprego no hotel me ensinou o verdadeiro valor do sono, assim como sentir fome me havia ensinado o verdadeiro valor da comida. Dormir deixou de ser mera necessidade física: era algo voluptuoso, mais uma libertinagem do que um alívio. Meus problemas com os percevejos haviam acabado. Mario me ensinara um remédio certeiro para eles: pimenta em pó em abundância pelas roupas de cama. Fazia-me espirrar, mas os insetos a odiavam e fugiam para outros quartos.

Capítulo 17

"Após a primeira semana no trabalho, passei a dormir no intervalo da tarde ou senão, quando tinha dinheiro, ia para um bistrô."

Podia participar da vida social do bairro, pois tinha trinta francos por semana para gastar em bebida. . Tínhamos algumas noites animadas, aos sábados, no pequeno bistrô do térreo do Hôtel des Trois Moineaux.

O salão de piso de tijolo, de uns cinco metros quadrados, estava apinhado, com vinte pessoas e um ar turvo de fumaça. O barulho era ensurdecedor, pois todos ou falavam aos gritos ou cantavam. Às vezes, era apenas um vozerio confuso; outras vezes, todos irrompiam a cantar a mesma canção – a "Marselhesa", a "Internacional" ou "Madelon", ou "Les fraises et les framboises". Azaya, uma jovem camponesa robusta e pesada, que trabalhava catorze horas por dia numa fábrica de vidros, cantava uma canção sobre *"Elle a perdu son pantalon, tout en dansant le Charleston"*. Sua amiga Marinette, uma garota magra e morena da Córsega, de uma virtude obstinada, amarrava os joelhos juntos e dançava a *danse du ventre*. O casal Rougier entrava e saía, filando drinques e tentando contar uma longa e complicada história sobre alguém que certa vez os havia enganado sobre uma armação de cama. R., cadavérico e silencioso, estava sentado em seu canto, embebedando-se quieto.

Charlie, bêbado, meio que dançava e cambaleava com um copo de absinto falsificado em uma das mãos gordas, beliscando os seios das mulheres e declamando poesia. Havia gente jogando dardos e dados por bebida. O espanhol Manuel arrastava as garotas até o bar e esfregava o copo de dados na barriga delas para ter sorte. Madame F. ficava no bar e enchia rapidamente canecas de vinho pelo funil de peltre, com um pano de prato úmido sempre à mão, porque todos os homens do salão tentavam arrastar a asa para ela. Duas crianças, filhas bastardas do pedreiro Louis, ficavam sentadas no canto bebendo juntas um copo de sirop. Todos estavam muito felizes, cheios da certeza de que o mundo era um bom lugar, e nós, um grupo notável de pessoas.

Por uma hora, o barulho dificilmente diminuía. Então, por volta da meia-noite, ouvia-se um grito penetrante de "Citoyens!", e o som de uma cadeira que caía. Um operário loiro, de faces vermelhas, erguera-se e batia com uma garrafa na mesa. Todos paravam de cantar e a notícia corria pelo bistrô: "Sshh! Fureux está começando!". Fureux era uma criatura estranha, um canteiro limusino que trabalhava sem parar durante toda a semana e caía numa espécie de paroxismo bêbado aos sábados. Havia perdido a memória e não conseguia se lembrar de nada anterior à guerra, e a bebida o teria destruído se Madame F. não tivesse cuidado dele. Nas tardes de sábado, por volta das cinco horas, ela dizia para alguém:

— Ache Fureux antes que ele gaste seu salário.

Depois que o capturavam ela pegava o dinheiro dele, deixando o suficiente apenas para uma boa bebedeira. Uma vez, ele escapou e, andando cego de bebida pela Place Monge, foi atropelado por um carro, ficando seriamente ferido.

Estranho em Fureux era que, embora fosse comunista quando sóbrio, ficava violentamente patriota quando bêbado. Começava a noite com bons princípios comunistas, mas depois de quatro ou cinco litros se tornava um chauvinista feroz, denunciava espiões, desafiava os estrangeiros para a briga e, se não o impedissem, jogava garrafas. Era nesse ponto que fazia seu discurso — pois fazia um discurso patriótico todos os sábados à noite. E ele era sempre o mesmo, palavra por palavra:

— Cidadãos da República, há algum francês aqui? Se há franceses aqui, ergo-me para lembrá-los — para lembrá-los, na verdade, dos dias gloriosos da guerra. Quando olhamos para aquele tempo de camaradagem e heroísmo — olhamos, na verdade, para aquele tempo de camaradagem e heroísmo. Quando lembramos dos heróis que estão mortos — lembramos, na verdade, dos heróis que estão mortos. Cidadãos da República, fui ferido em Verdun...

Nessa hora, tirava uma parte da roupa e mostrava o ferimento adquirido em Verdun. Ouviam-se gritos de aplauso. Achávamos que nada no mundo poderia ser mais engraçado do que esse discurso de Fureux. Ele era um espetáculo bem conhecido no bairro; as pessoas costumavam vir de outros bistrôs para vê-lo iniciar seu ataque.

Armavam um grupo para atormentar Fureux. Com uma piscadela para os outros, alguém pedia silêncio e sugeria que ele cantasse a "Marselhesa". Ele cantava bem, com uma bela voz de baixo e patrióticos ruídos gorgolejantes no fundo do peito quando chegava ao *"Aux armes, citoyens! Formez vos bataillons!"*.

Lágrimas sinceras rolavam por suas faces; bêbado demais, não percebia que todos riam dele. Então, antes que terminasse, dois operários fortes o pegavam pelos braços e o seguravam, enquanto Azaya, fora do alcance dele, gritava *"Vive l'Allemagne!"*. O rosto de Fureux ficava roxo diante dessa infâmia. Todos no bistrô começavam a gritar juntos *"Vive l'Allemagne! À bas la France!"*, enquanto Fureux lutava para pegá-los. Mas de repente ele estragava a diversão. Seu rosto ficava pálido e lúgubre, seus membros claudicavam e, antes que alguém pudesse impedir, vomitava sobre a mesa. Então Madame F. o levantava como um saco e o carregava para a cama. De manhã, ele reaparecia, quieto e civilizado, e comprava um exemplar de L'Humanité.

Limpavam a mesa com um pano, Madame F. trazia mais garrafas de litro e pães e nos dedicávamos a beber a sério. Ouviam-se mais canções. Um cantor itinerante chegava com seu banjo e cantava canções em troca de cinco soldos. Um árabe e uma garota do bistrô mais adiante na rua executavam uma dança em que ele brandia um falo de madeira pintada do tamanho de um pau de macarrão. Havia agora intervalos na algazarra. As pessoas começavam a falar de seus casos de amor, da guerra, da pesca de barbo no Sena, sobre a melhor maneira de *faire la révolution*, e a contar histórias. Charlie, novamente sóbrio, monopolizava a conversa e falava sobre sua alma durante cinco minutos. As portas e janelas eram abertas para refrescar o salão. A rua esvaziava-se e, ao longe, podia-se escutar o solitário carrinho do leite descendo o Boulevard St. Michel. O ar lançava um golpe gelado em nossa testa e o vinho africano grosseiro ainda tinha um gosto bom; ainda estávamos felizes, mas reflexivos, e o clima de gritaria e hilaridade tinha acabado.

Mais ou menos a uma hora da manhã não estávamos mais felizes. Sentíamos que a alegria da noite definhava e pedíamos apressadamente mais garrafas, mas Madame F. já estava pondo água no vinho e o gosto já não era o mesmo. Os homens ficavam agressivos. As garotas eram violentamente beijadas, mãos eram enfiadas em seus peitos e elas iam embora antes que o pior acontecesse. O pedreiro Louis estava bêbado e latia enquanto engatinhava pelo chão, fingindo ser um cachorro. Os outros se cansavam dele e o chutavam quando passava. As pessoas agarravam os braços umas das outras e começavam longas confissões desconexas, e ficavam bravas quando não lhes davam atenção. O grupo se reduzia. Manuel e um outro homem, ambos jogadores, iam para o bistrô árabe do outro lado da rua, onde o carteado continuava até o dia claro. Charlie tomava emprestados trinta francos de Madame F. e desaparecia, provavelmente para um bordel. Os homens começavam a esvaziar os copos, diziam rapidamente "'sieurs, dames!", e iam dormir.

A última gota de prazer já havia se evaporado por volta de uma e meia, deixando apenas dores de cabeça. Percebíamos que não éramos habitantes esplêndidos de um mundo esplêndido, mas um bando de trabalhadores mal pagos, miseráveis e tristemente bêbados. Continuávamos a beber vinho, mas apenas por hábito, e a coisa parecia subitamente nauseante. A cabeça inchava como um balão, o chão balançava, a língua e os lábios estavam manchados de roxo. Por fim, não fazia mais sentido continuar com aquilo. Vários homens saíam para o quintal atrás do bistrô e vomitavam. Arrastávamo-nos para a cama, caíamos meio vestidos e ficávamos ali por dez horas.

Geralmente as minhas noites de sábado eram assim. No total, as duas horas em que nos sentíamos perfeita e freneticamente felizes pareciam valer a dor de cabeça subsequente. Para muitos homens do bairro, solteiros e sem um futuro em que pensar, a bebedeira semanal era a única coisa que fazia a vida valer a pena.

Na Pior em Paris e Londres

Capítulo 18

"Meu dinheiro não havia chegado de casa; eu havia pendurado tudo e não havia alternativa senão trabalhar, que é uma coisa que jamais farei."

Certa noite de sábado, Charlie contou-nos mais um caso ocorrido no bistrô. Tentem imaginá-lo – bêbado, mas suficientemente sóbrio para falar com nexo. Ele bateu no balcão de zinco e gritou pedindo silêncio.

– Silêncio, *messieurs et dames,* silêncio. Eu vos imploro! Escutem o caso que vou contar. Uma história memorável, uma história instrutiva, uma lembrança de uma vida requintada e civilizada. Silêncio, *messieurs et dames!*

– Aconteceu numa fase em que eu estava duro. Você sabem como é isso – como é terrível um homem refinado se ver nessa situação. Meu dinheiro não havia chegado de casa; eu havia penhorado tudo e não havia alternativa senão trabalhar, que é uma coisa que jamais farei. Na época eu vivia com uma garota – Yvonne era seu nome –, uma camponesa grande meio sem juízo, como a nossa Azaya, de cabelos louros e pernas grossas. Fazia três dias que não comíamos nada. *Mon Dieu,* que sofrimento! A garota caminhava para lá e para cá no quarto, com as mãos na barriga, uivando como uma cadela e dizendo que estava morrendo de fome. Era terrível.

– Mas para um homem inteligente, nada é impossível. Propus a mim mesmo a seguinte questão: "Qual é a maneira mais fácil de conseguir dinheiro sem trabalhar?". E imediatamente veio a resposta: "Para conseguir dinheiro com facilidade é preciso ser mulher. As mulheres não têm sempre alguma coisa para vender?". E então, enquanto estava deitado e refletia sobre as coisas que eu faria se fosse mulher, uma ideia me veio à cabeça. Lembrei-me dos hospitais-maternidade do governo – vocês conhecem os hospitais-maternidade do governo? São lugares onde as mulheres grávidas ganham refeições gratuitas e nenhuma pergunta é feita a elas. Isso acontece para estimular a ter filhos. Qualquer mulher que for lá e pedir uma refeição a consegue imediatamente.

– *Mon Dieu!*, pensei, se eu fosse uma mulher! Comeria num desses lugares todos os dias. Quem pode dizer se uma mulher está grávida ou não, sem um exame? Virei-me para Yvonne e disse: "Pare com essa gritaria insuportável. Pensei numa maneira de conseguir comida". Como?" "'É simples. Vá ao hospital-maternidade do governo. Diga-lhes que está *enceinte* e peça comida. Eles lhe darão uma boa refeição e não farão perguntas.'

— Yvonne ficou estarrecida. "*Mais, mon Dieu,* eu não estou grávida!" "'E daí? Isso se resolve facilmente. Do que mais você precisa senão de uma almofada – duas, se for necessário? É uma inspiração dos céus, ma chère. Não a desperdice.

— No fim consegui persuadi-la, arrumei uma almofada, aprontei Yvonne e levei-a ao hospital-maternidade. Eles a receberam de braços abertos. Deram sopa de repolho, ensopado de carne, purê de batatas, pão, queijo e cerveja, e todos os tipos de conselhos sobre o bebê. Yvonne se empanturrou até quase explodir e conseguiu pôr um pouco de pão e queijo no bolso para mim. Levei-a lá todos os dias, até ter dinheiro de novo. Minha inteligência nos havia salvado.

— Tudo correu bem até um ano depois. Eu estava com Yvonne de novo e, um dia, descíamos o Boulevard Port Royal, perto do quartel. De repente, Yvonne ficou boquiaberta, começou a ficar vermelha, depois pálida, e vermelha de novo. "'Mon Dieu!', gritou, 'veja quem está vindo! É a enfermeira-chefe da maternidade. Estou perdida!"

— Depressa, corra!, avisei eu. Tarde demais. A enfermeira havia reconhecido Yvonne e veio na nossa direção, sorrindo. Era uma mulher grande, gorda, com um *pincenê* de ouro e faces rosadas como uma maçã. O tipo de mulher maternal, intrometida. Espero que esteja bem, *ma petite*", disse, afável. "E seu bebê, vai bem? É um menino, como você queria?"

— Yvonne tremia tanto que tive de segurar seu braço. "Não', disse por fim. "Ah, então, *évidemment,* é uma menina?"

— Diante disso, a idiota da Yvonne perdeu completamente a cabeça. "Não", repetiu ela!

— A enfermeira ficou espantada. "*Comment!*" exclamou, "não é menino nem menina? Como assim?"

— Imaginem, *messieurs et dames,* era um momento perigoso. Yvonne estava da cor da raiz de beterraba e parecia pronta para desandar a chorar; mais um segundo e confessaria tudo. Só Deus sabe o que poderia acontecer. Mas, quanto a mim, mantive a cabeça fria, entrei na conversa e salvei a situação.

— São gêmeos, disse calmamente. "Gêmeos!", exclamou a enfermeira. E ficou tão contente que abraçou Yvonne e a beijou nas duas bochechas, em público. "Sim, gêmeos...

# Capítulo 19

"Os fogões da cozinha não haviam chegado, água e eletricidade não estavam ligadas, e todo o serviço de pintura, acabamento e carpintaria estava por fazer."

Certa vez, quando já estávamos no hotel X. havia cinco ou seis semanas, Bóris *sumiu* sem avisar. À noite, encontrei-o esperando por mim na Rue de Rivoli. Deu um tapinha alegre no meu ombro.

– Livres finalmente, *mon ami*! De manhã, pode avisar que vai embora. O Auberge abre amanhã.

– Amanhã?

– Pode ser que a gente precise de um ou dois dias para organizar as coisas. Mas, de qualquer modo, chega de *cafeterie*! Nous voilà lancés, *mon ami*! Minha casaca já saiu da loja de penhores.

Seu jeito era tão animado que tive certeza de que havia alguma coisa errada, e eu não queria de forma alguma largar meu emprego seguro e cômodo no hotel. Porém, eu havia prometido a Bóris, então pedi demissão e na manhã seguinte, às sete, fui ao Auberge de Jehan Cottard. Estava fechado e saí em busca de Bóris, que uma vez mais havia fugido de onde morava e alugado um quarto na Rue de la Croix Nivert. Encontrei-o dormindo com uma garota que ele havia apanhado na noite anterior e que, conforme me disse, tinha "um temperamento muito compreensivo". Quanto ao restaurante, confirmou que estava tudo arranjado; só faltavam umas poucas coisinhas a resolver antes de abrir.

Às dez, consegui tirar Bóris da cama e abrimos o restaurante. Bastou uma olhada para eu ver o que significavam as "poucas coisas". Numa rápida olhada, vi que as reformas não haviam sido tocadas desde a nossa última vista. Os fogões da cozinha não haviam chegado, água e eletricidade não estavam ligadas, e todo o serviço de pintura, acabamento e carpintaria estava por fazer. Só um milagre faria o restaurante abrir em dez dias e, pela aparência das coisas, poderia falir antes mesmo de abrir. Era óbvio o que havia acontecido. O *patron* estava sem dinheiro e havia contratado os funcionários do restaurante (éramos quatro) a fim de nos usar, no lugar de operários. Teria nossos serviços quase de graça, pois garçons não ganham salário e, embora tivesse de me pagar, não me alimentaria até o restaurante abrir. Com efeito, ele nos burlara em várias centenas de francos ao nos chamar antes da abertura do restaurante. Havíamos jogado fora um bom emprego por nada.

Bóris, porém, estava cheio de esperança. Tinha uma única ideia na cabeça, a de que aquela era sua última chance de ser garçom e usar novamente casaca. Por isso, mostrava-se bastante disposto a trabalhar dez dias sem receber, com a possibilidade de ainda ficar desempregado no fim.

– Paciência!, não parava de repetir. Isso se resolve. Espere até o restaurante abrir e seremos recompensados. Paciência, *mon ami*"

Precisamos realmente de paciência, pois os dias se passaram e o restaurante não fez nenhum progresso no sentido de abrir. Limpamos os porões, fixamos as prateleiras, pintamos as paredes, envernizamos as madeiras, caiamos o teto, lixamos e pintamos o piso; mas o trabalho principal, o encanamento, a instalação de gás e de eletricidade, não foi feito, pois o *patron* não podia pagar as contas. Evidentemente, estava quase sem dinheiro, pois recusava as menores despesas e usava o truque de desaparecer quando lhe pediam dinheiro. Sua mistura de astúcia e modos aristocráticos tornava difícil lidar com ele. Credores desanimados o procuravam a qualquer hora, mas tínhamos instruções para dizer que ele estava em Fontainebleau, ou em Saint Cloud, ou em algum outro lugar bem distante. Enquanto isso, eu sentia cada vez mais fome. Deixara o hotel com trinta francos e voltara imediatamente a uma dieta de pão seco. Bóris conseguira, no início, extrair do *patron* um adiantamento de sessenta francos, mas gastara a metade disso para resgatar suas roupas de garçom e a outra metade com a garota de temperamento compreensivo. Tomava emprestado três francos por dia de Jules, o outro garçom, e gastava com pão. Havia dias em que não tínhamos dinheiro nem para os cigarros.

De vez em quando a cozinheira vinha ver como as coisas estavam andando e quando via a cozinha ainda sem panelas e caçarolas, geralmente chorava. Jules, o segundo garçom, recusava-se a ajudar no trabalho. Era um húngaro um pouco moreno, de traços marcados e óculos, e muito tagarela; fora estudante de medicina, mas abandonara os estudos por falta de dinheiro. Gostava de falar enquanto os outros trabalhavam e me contou tudo sobre si mesmo e suas ideias. Parece que era comunista e tinha várias teorias estranhas (era capaz de provar com números que era errado trabalhar) e, como a maioria dos húngaros, era muito orgulhoso. Homens orgulhosos e preguiçosos não dão bons garçons. Jules adorava contar que, certa vez, ao ser insultado por um cliente, havia jogado um prato de sopa no pescoço dele e depois ido embora sem nem mesmo esperar ser demitido.

Conforme os dias transcorriam, Jules ficava cada vez mais irado com o golpe que o *patron* havia aplicado em nós. Tinha um jeito atabalhoado e retórico de falar. Costumava andar para lá e para cá sacudindo os punhos e tentando me incitar a não trabalhar:

— Largue esse pincel, seu tolo! Você e eu pertencemos a raças orgulhosas; não trabalhamos de graça, como esses desgraçados servos russos. Vou lhe contar, ser enganado desse jeito é uma tortura para mim. Houve momentos em minha vida em que eu vomitei quando alguém me enganou só em cinco soldos, sim, vomitei de raiva. Além disso, *mon vieux,* não esqueça que sou comunista. À *bas les bourgeois!* Alguém já me viu trabalhar quando eu não precisava? Não. E não somente não me esfalfo trabalhando, que nem vocês, seus tolos, como roubo, só para mostrar minha independência.

— Teve uma vez em que trabalhei em um restaurante em que o *patron* achava que podia me tratar como um cachorro. Bem, para me vingar, descobri uma maneira de roubar leite das latas e fechá-las de novo sem que ninguém soubesse. Vou lhe contar, bebi aquele leite noite e dia, como uma esponja. Todos os dias, tomava quatro litros de leite, além de meio litro de creme. O *patron* estava totalmente desnorteado, sem saber para onde ia o leite. Não que eu quisesse o leite, entende, porque odeio leite; era por princípio, só por princípio. Depois de três dias comecei a sentir dores terríveis na barriga e fui ao médico.

— O que você anda comendo?, ele perguntou.

Contei:

— Tomo quatro litros de leite por dia e meio litro de creme". "Quatro litros? Então pare imediatamente. Você vai explodir se continuar assim.

— Que me importa?', disse eu. Comigo, princípios são tudo. Continuarei bebendo aquele leite, mesmo que estoure.

No dia seguinte, o *patron* me pegou roubando o leite.

— Você está despedido, disse, vai embora no final da semana.

— *Pardon, monsieur*, respondi, vou embora agora de manhã.

– Não, você não vai, não posso dispensar você até domingo. 'Muito bem, mon patron', pensei comigo, 'veremos quem se cansa primeiro.' E passei a quebrar louças. Quebrei nove pratos no primeiro dia e treze no segundo; depois disso, o *patron* ficou feliz de me ver pelas costas. Ah, eu não sou um dos seus muitos truques russos...

Passaram-se dez dias. Foi uma época ruim. Meu dinheiro estava no final e meu aluguel vários dias atrasado. Vagávamos pelo restaurante vazio e desolado, famintos demais até para continuar com o trabalho que faltava. Agora, somente Bóris acreditava que o restaurante abriria. Estava ansioso por ser *maître d'hôtel* e inventou uma teoria de que o *patron* investira em ações e esperava um momento favorável para vendê-las. No décimo dia, eu já não tinha nada para comer ou fumar e disse ao *patron* que não poderia continuar a trabalhar sem um adiantamento de salário. Afável como sempre, ele me prometeu o adiantamento e depois, conforme seu hábito, desapareceu. Andei uma parte do caminho de volta para casa, mas como não estava disposto a discutir com Madame F. por causa do aluguel, passei a noite num banco do bulevar. Foi muito desconfortável – o braço do banco machuca as costas – e muito mais frio do que eu imaginava. Havia muito tempo, nas longas e tediosas horas entre o alvorecer e o trabalho, para pensar como eu fora tolo de cair nas mãos daqueles russos.

A sorte mudou um dia. O *patron* evidentemente havia feito algum acordo com seus credores, pois chegou com dinheiro nos bolsos, iniciou as reformas e me deu o adiantamento. Bóris e eu compramos macarrão e um pedaço de fígado de cavalo e fizemos nossa primeira refeição quente em dez dias.

Os operários chegaram e as reformas foram feitas, depressa e com uma má qualidade inacreditável. As mesas, por exemplo, deveriam ser cobertas com um tecido felpudo grosso, mas quando o *patron* descobriu que esse tecido era caro, comprou cobertores do exército usados, que fediam a suor. As toalhas de mesa (eram xadrez, para combinar com as decorações normandas) os recobririam, naturalmente. Na última noite, trabalhamos até as duas da manhã, aprontando as coisas. A louça só chegou às oito e, como era nova, teve de ser toda lavada. Os talheres só chegaram na manhã seguinte, assim como os panos, e tivemos de enxugar a louça com uma camisa do *patron* e uma fronha velha da zeladora. Bóris e eu fizemos todo o trabalho. Jules esquivava-se e o *patron* e sua mulher permaneceram no bar com um credor e alguns amigos russos, bebendo ao sucesso do restaurante. A cozinheira estava na cozinha com a cabeça sobre a mesa, chorando porque deveria cozinhar para cinquenta pessoas e não havia panelas e caçarolas suficientes nem para dez. Por volta da meia-noite, houve um encontro terrível com alguns credores, que vieram com a intenção de se apoderar de oito panelas de cobre que o *patron* conseguira a crédito. Foram "comprados" com meia garrafa de conhaque.

Jules e eu perdemos o último metrô para casa e tivemos de dormir no chão do restaurante. A primeira coisa que vimos de manhã foram duas ratazanas comendo presunto na mesa da cozinha. Parecia um mau augúrio e mais do que nunca tive certeza de que o Auberge de Jehan Cottard seria um fracasso.

Capítulo 20

"No décimo dia, eu já não tinha nada para comer ou fumar e disse ao patron que não poderia continuar a trabalhar sem um adiantamento de salário."

Fui contratado como *plongeur* da cozinha, ou seja, meu serviço era lavar a louça, manter a cozinha limpa, preparar verduras e legumes, fazer chá, café, sanduíches e pratos simples, além de serviços e pequenas tarefas. As condições, como de costume, eram quinhentos francos por mês mais comida, porém não havia dia de folga nem horas fixas de trabalho. No hotel X., eu havia conhecido um restaurante em sua melhor forma, com dinheiro ilimitado e boa organização. No Auberge, aprendi como as coisas são feitas num restaurante totalmente ruim. Vale a pena descrevê-lo, pois existem centenas de restaurantes similares em Paris, e todos os turistas acabam eventualmente comendo em um deles.

O Auberge não era o tipo do lugar barato e ordinário frequentado por estudantes e operários. Não servíamos uma refeição adequada por menos de 25 francos, e éramos muito pitorescos e artísticos, o que elevava nossa posição social. Havia as pinturas indecentes do bar e a decoração normanda – falsas vigas nas paredes, lâmpadas elétricas que imitavam candelabros, cerâmica "camponesa", até degraus para montar junto à porta –, e o *patron* e o chefe dos garçons eram oficiais russos, e muitos dos clientes, nobres refugiados russos. Em suma, éramos decididamente chiques.

As condições atrás da porta da cozinha eram mais parecidas com um chiqueiro. Assim eram nossos arranjos de serviço: A cozinha media quatro metros e meio de comprimento por dois e meio de largura, e metade desse espaço era ocupada por fogões e mesas. Todas as panelas tinham de ser guardadas em prateleiras bem altas, e só havia lugar para uma única lata de lixo. Essa lata de lixo costumava estar abarrotada já por volta do meio-dia e o chão normalmente ficava com uma polegada de comida pisoteada.

Tínhamos apenas três fogões a gás, sem fornos, e todas as peças de carne eram mandadas para assar numa padaria. Não havia despensa. Em seu lugar, usávamos um espaço semicoberto no quintal, com uma árvore no meio. As carnes, as verduras, os legumes e todo o resto ficavam ali sobre a terra, atacados por ratos e gatos.

Não existia instalação de água quente. A água para lavar tinha de ser aquecida em panelas e, como não havia espaço para isso nos fogões quando as refeições estavam sendo preparadas, a maioria dos pratos era lavada com água fria. Isso, com o sabão pastoso e a água pesada de Paris, significava raspar a gordura dos pratos com pedaços de jornal.

As panelas eram tão poucas que eu precisava lavar cada uma delas assim que era usada, em vez de deixá-las para a noite. Nisso se perdia provavelmente uma hora por dia.

Devido a algum serviço porco feito na instalação para economizar, a luz elétrica costumava pifar às oito da noite. O *patron* só permitia o uso de três velas na cozinha, mas como a cozinheira dizia que três davam azar, então ficávamos apenas com duas.

O moedor de café era emprestado de um bistrô das proximidades, e a lata de lixo e as vassouras, da zeladora. Depois da primeira semana, muitas toalhas não voltaram da lavagem, pois a conta não havia sido paga. Estávamos com problemas com o fiscal do trabalho, que havia descoberto que não havia franceses entre os funcionários; ele teve vários encontros privados com o *patron,* que, creio, foi obrigado a suborná-lo. Ainda devíamos para a companhia de eletricidade, e seus cobradores, quando descobriram que nós os compraríamos com *apéritifs,* vinham todas as manhãs. Devíamos no armazém e teríamos perdido o crédito se a esposa do dono (uma mulher bigoduda de sessenta anos) não tivesse se encantado com Jules, que todas as manhãs era enviado para adulá-la. Do mesmo modo, eu tinha de perder uma hora todos os dias na Rue du Commerce, pechinchando na compra de verduras para economizar alguns cêntimos.

Era o resultado de abrir um restaurante sem dinheiro suficiente. E, nessas condições, esperava-se que a cozinheira e eu servíssemos trinta ou quarenta refeições diárias, e mais adiante, cem. Desde o primeiro dia, foi demais para nós. A cozinheira trabalhava das oito da manhã até a meia-noite e eu, das sete da manhã até a meia-noite e meia – dezessete horas e meia, quase sem descanso. Só tínhamos tempo para sentar depois das cinco da tarde, e mesmo então não havia onde sentar, exceto em cima da lata de lixo. Bóris, que morava perto e não precisava pegar o último metrô para ir embora, trabalhava das oito da manhã até as duas da madrugada seguinte – dezoito horas por dia, sete dias por semana. Tantas horas de trabalho, embora não usuais, não são algo raro em Paris.

Essa rotina que fez o hotel X. parecer férias. Todas as manhãs, às seis horas, eu me arrastava para fora da cama, não me barbeava, às vezes me lavava, corria para a Place d'Italie e brigava por um lugar no metrô. Às sete, estava na desolação da cozinha fria e imunda, com cascas de batatas, espinhas e rabos de peixes espalhados pelo chão, e uma pilha de pratos colados pela gordura desde a noite anterior. Eu não podia começar pelos pratos porque a água ainda estava fria, e tinha de buscar leite e fazer café, pois os outros chegavam às oito e queriam encontrar o café pronto. Também havia sempre várias caçarolas de cobre para limpar. Essas panelas de cobre são a maldição da vida de um *plongeur*. Elas precisam ser esfregadas com areia e esponjas de aço, dez minutos cada uma, e depois polidas por fora com Brasso. Felizmente, a arte de fabricá-las se perdeu e elas estão desaparecendo aos poucos das cozinhas francesas, embora ainda seja possível comprá-las de segunda mão.

Na hora em que eu começava a lavar os pratos, a cozinheira me afastava deles para que eu descascasse cebolas, e quando eu começava com as cebolas o *patron* chegava e me mandava comprar repolhos. Quando eu voltava com os repolhos, a mulher do *patron* me mandava a alguma loja a quase um quilômetro dali para comprar um pote de ruge; quando eu voltava, havia mais legumes à minha espera e os pratos ainda não tinham sido lavados. Desse modo, nossa incompetência fazia o serviço se acumular ao longo do dia, num grande atraso.

Até as dez, as coisas eram até fáceis, e embora trabalhássemos depressa, ninguém perdia a paciência. A cozinheira encontrava tempo para falar de sua natureza artística, para perguntar se eu não achava Tolstói épatant e para cantar com uma bela voz de soprano enquanto picava carne na tábua. Mas às dez os garçons começavam a clamar pelo almoço, pois comiam cedo, e às onze chegavam os primeiros clientes. De repente, tudo se transformava em pressa e mau humor. Não havia a mesma correria e gritaria furiosa do hotel X., mas uma atmosfera de confusão, exasperação e rancor mesquinho. O desconforto estava na base disso. A cozinha ficava insuportavelmente apinhada, era preciso pôr os pratos no chão e tínhamos de estar sempre atentos para não pisar neles. O traseiro enorme da cozinheira esbarrava em mim enquanto ela andava para lá e para cá. Ela emitia um coro incessante de ordens e censuras:

– Idiota! Quantas vezes eu já disse para não drenar as beterrabas? Rápido, deixe eu usar a pia! Afasta essas facas; apronta as batatas. O que você fez com meu escorredor? Ah, larga essas batatas. Eu não mandei escumar o *bouillon?* Tira aquela vasilha de água do fogão. Esquece a lavagem, pica este aipo. Não, não assim, seu estúpido, assim. Olha aí! Você está deixando as ervilhas transbordarem! Agora começa a trabalhar e limpa estes arenques. Olha aqui, você chama este prato de limpo? Esfrega no avental. Ponha aquela salada no chão. Isso, põe bem onde eu possa pisar nela! Cuidado, aquela panela está fervendo! Me passa aquela caçarola. Não, a outra. Põe isso na grelha. Joga fora essas batatas. Não perde tempo, joga no chão. Pisa em cima. Agora joga um pouco de serragem; este chão parece uma pista de patinação. Olha, seu estúpido, aquele bife está queimando! *Mon Dieu,* por que eles me mandam um idiota de *plongeur?* Sabe com quem está falando? Você se dá conta de que minha tia era uma condessa russa?" Etc. etc. etc.

Isso se estendia até as três, sem muita variação, exceto que, por volta das onze, a cozinheira tinha uma crise de nervos e uma enxurrada de lágrimas. Das três às cinco, os garçons tinham uma folga razoável, mas a cozinheira ainda estava atarefada e eu continuava a trabalhar o mais rápido possível, pois havia várias pilhas de pratos sujos me esperando, e era uma correria para dar conta de todos eles, ou de uma parte, antes do início do jantar. O tempo de lavagem era dobrado por causa das condições primitivas de trabalho – uma tábua de escorrer apinhada, água morna, panos encharcados e uma pia que entupia de hora em hora.

Às cinco horas, a cozinheira e eu já estávamos meio tontos, sem ter comido nem sentado desde as sete. Costumávamos despencar, ela na lata de lixo e eu no chão, tomar uma garrafa de cerveja e pedir desculpas por algumas das coisas que havíamos dito de manhã. O chá era o que nos mantinha funcionando. Cuidávamos para ter sempre uma panela de água em fogo brando e bebíamos litros durante o dia.

Às cinco e meia, a correria e as brigas recomeçavam, e pior do que antes, porque todos estavam exaustos. A cozinheira tinha uma crise de nervos às seis e outra às nove; aconteciam com tanta regularidade que era possível saber a hora por elas. Ela sentava na lata de lixo, começava a chorar histericamente e a gritar que nunca, não, nunca havia pensado em cair numa vida como aquela; seus nervos não suportariam; ela havia estudado música em Viena; tinha um marido inválido para sustentar etc. etc. Em outro momento, até seria possível sentir pena dela, mas, cansados como estávamos, seus choros apenas nos enfureciam. Jules costumava ficar à porta e imitar seu choro.

A esposa do *patron* reclamava, e Bóris e Jules discutiam o dia inteiro, porque Jules embromava no serviço e Bóris, o chefe dos garçons, queria uma parcela maior das gorjetas. Já no segundo dia de funcionamento do restaurante, eles se pegaram na cozinha por causa de uma gorjeta de dois francos, e a cozinheira e eu tivemos de separá-los. A única pessoa que não perdia a compostura era o *patron*. Ele cumpria o mesmo número de horas que os funcionários, mas não tinha o que fazer, pois era sua mulher que de fato administrava as coisas. A única função dele, além de encomendar suprimentos, era ficar no bar fumando cigarros com ar cavalheiresco, e isso ele fazia com perfeição.

Geralmente, a cozinheira e eu encontrávamos tempo para jantar entre as dez e as onze horas. À meia-noite, ela roubava um pacote de comida para o marido, enfiava-o embaixo das roupas e ia embora, choramingando que aquelas horas de trabalho iriam matá-la e que iria pedir demissão na manhã seguinte. Jules também partia à meia-noite, geralmente depois de uma discussão com Bóris, que tinha de cuidar do bar até as duas da manhã. Entre meia-noite e meia-noite e meia eu fazia o possível para terminar a lavagem da louça. Não havia tempo para tentar fazer o serviço de modo adequado e eu costumava simplesmente limpar a gordura dos pratos com guardanapos. Quanto à sujeira do chão, deixava ficar, ou varria o grosso para baixo dos fogões.

À meia-noite e meia, vestia meu casaco e saía correndo. O *patron,* afável como sempre, detinha-me quando eu passava pelo bar. "Mais, *mon cher monsieur*, como você parece cansado! Por favor, faça-me a gentileza de aceitar este copo de conhaque.

Ele me passava o copo com tanta cortesia, como se eu fosse um duque russo e não um *plongeur*. Tratava-nos todos assim. Era nossa compensação por trabalhar dezessete horas por dia.

O último metrô estava quase vazio – uma grande vantagem, pois se podia sentar e dormir um quarto de hora. Em geral, eu estava na cama à uma e meia. Às vezes, perdia o trem e tinha de dormir no chão do restaurante, mas isso pouco importava, pois naquela época eu seria capaz de dormir em cima de pedras.

Capítulo 21

"Essa lata de lixo costumava estar abarrotada já por volta do meio-dia e o chão normalmente ficava com uma polegada de comida pisoteada."

Os dias foram assim por cerca de uns quinze dias, com um leve aumento do serviço à medida que mais clientes vinham ao restaurante. Eu poderia economizar uma hora por dia se morasse perto do trabalho, mas parecia impossível encontrar tempo para mudar de moradia – ou, por falar nisso, cortar meu cabelo, dar uma olhada no jornal, ou mesmo me despir completamente. Depois de dez dias, consegui quinze minutos livres e escrevi a meu amigo B., em Londres, para perguntar se ele me conseguiria algum emprego – qualquer coisa que me permitisse ter mais de cinco horas de sono. Eu simplesmente não me sentia em condições de continuar a trabalhar dezessete horas por dia, embora exista muita gente que não se importa com isso. Quando alguém se sente extenuado, é uma boa cura para a piedade de si mesmo pensar nos milhares de pessoas que trabalham todas essas horas nos restaurantes de Paris, e que continuarão a fazer isso não por semanas, mas durante anos. Conheci uma garota em um bistrô próximo do meu hotel que trabalhou das sete da manhã à meia-noite durante um ano inteiro, sentando-se apenas para as refeições. Lembro-me de tê-la convidado para ir a um baile; ela riu e disse que não passava da esquina havia vários meses. Era tuberculosa e morreu na época em que deixei Paris.

Após uma semana, estávamos todos estressados de cansaço, exceto Jules, que conseguia escapar sempre do dever. As discussões, intermitentes no início, tornaram-se contínuas. Durante horas, havia uma chuva fina de resmungos inúteis que se transformavam em tempestades de ofensas em poucos minutos. "

– Me dá aquela caçarola, seu idiota!, gritava a cozinheira (não era alta o suficiente para alcançar as prateleiras onde estavam as panelas).

– Pega você mesmo, sua puta velha, eu respondia.

Tais comentários pareciam gerar espontaneamente do ar da cozinha.

Brigávamos por motivos de uma mesquinhez inacreditável. A lata de lixo, por exemplo, era uma fonte infindável de altercações – se deveria ficar onde eu queria, que era no caminho da cozinheira, ou onde ela queria, que era no meu caminho para a pia. Uma vez ela resmungou e resmungou até que, por fim, de puro ódio, peguei a lata de lixo e a larguei no meio da cozinha, onde a cozinheira acabaria tropeçando nela.

– Agora, sua vaca, mude de lugar você mesma.

Pobre velha, a lata era pesada demais para ela, que se sentou, deitou a cabeça na mesa e começou a chorar. E eu zombei dela. Esse é o tipo de efeito que a fadiga tem sobre nosso comportamento.

Passados alguns dias, a cozinheira parou de falar sobre Tolstói e sua natureza artística, eu e ela deixamos de nos falar, exceto sobre o trabalho, e Bóris e Jules também não se falavam, e nenhum deles conversava com a cozinheira. Até mesmo Bóris e eu mal nos falávamos. Havíamos concordado de antemão que as *engueulades* das horas de trabalho não contavam nos intervalos; mas dissemos coisas ruins demais um ao outro para que fossem esquecidas. Jules ficava cada vez mais preguiçoso e roubava comida constantemente – por um sentimento de dever, dizia. Chamava o resto de nós *de jaune* – fura-greve – quando não participávamos da roubalheira. Ele tinha um espírito curioso, maligno. Contou-me, com orgulho, que às vezes torcia um pano de prato sujo na sopa do cliente antes de servi-la, apenas para se vingar de um membro da burguesia.

A cozinha ficava cada vez mais imunda, e os ratos, mais ousados, mesmo tendo pegado alguns deles na ratoeira. Olhando para a imundície em volta, com carne crua entre os restos no chão, caçarolas sujas por toda parte e a pia entupida e coberta de gordura, eu costumava me perguntar se haveria um restaurante no mundo tão ruim quanto o nosso. Mas todos os outros três diziam que haviam estado em lugares ainda mais sujos. Jules sentia prazer em ver as coisas imundas. À tarde, quando não tinha muito o que fazer, costumava ficar à porta da cozinha e zombar de nós por trabalharmos tanto.

– Idiota! Por que está lavando esse prato? Limpa nas calças. Quem se importa com os clientes? Eles não sabem o que está acontecendo. O que é o trabalho num restaurante? Você está trinchando um frango e ele cai no chão. Você pede desculpas, faz uma mesura e sai; em cinco minutos, volta por outra porta – com o mesmo frango. Isso é o trabalho de restaurante etc.

Por incrível que pareça, apesar de toda a imundície e incompetência, o Auberge de Jehan Cottard foi um sucesso. Nos primeiros dias, os clientes eram todos russos, amigos do *patron,* e depois deles vieram os americanos e outros estrangeiros – nenhum francês. Então, uma noite houve uma tremenda excitação, porque nosso primeiro francês havia chegado. Por um momento, nossas querelas foram esquecidas e todos nos unimos no esforço de servir um bom jantar. Bóris entrou na ponta dos pés na cozinha, apontou o polegar por sobre o ombro para o salão e sussurrou em tom conspiratório:

– Sh! *Attention, un français!*

Um instante depois, a mulher do *patron* entrou e murmurou:

– *Attention, un français!* Cuidem para que ele ganhe uma porção dupla de todos os legumes.

Enquanto o francês comia, a mulher do *patron* ficou atrás da treliça da porta da cozinha observando sua expressão. Na noite seguinte, o francês voltou com dois outros franceses. Isso significava que estávamos ganhando um bom nome; o sinal mais certo de um mau restaurante é ser frequentado somente por estrangeiros. É provável que uma das razões de nosso sucesso fosse que o *patron*, com o único vislumbre de bom senso que demonstrara ao equipar o restaurante, havia comprado facas de mesa muito afiadas. Facas afiadas, naturalmente, são o segredo de um restaurante bem-sucedido. Fico contente que isso tenha acontecido, pois destruiu uma das minhas ilusões, ou seja, a ideia de que os franceses conhecem a boa comida. Ou quem sabe éramos um restaurante razoavelmente bom para os padrões de Paris; nesse caso, os piores devem estar além da imaginação.

Alguns dias depois de eu ter escrito a B., ele me respondeu dizendo que podia conseguir um emprego para mim. Seria para cuidar de um deficiente mental congênito, o que parecia ser uma esplêndida cura de repouso depois do Auberge de Jehan Cottard. Imaginei-me vagando por estradas do campo, derrubando cabeças de cardos com minha bengala, comendo cordeiro assado e torta de melaço, dormindo dez horas por noite em lençóis cheirando a lavanda. B. mandou-me cinco libras esterlinas para pagar minha passagem e tirar minhas roupas do prego, e assim que o dinheiro chegou dei um dia de aviso prévio e larguei o restaurante. Minha saída tão súbita constrangeu o *patron*, pois como sempre ele estava sem dinheiro e teve de me pagar trinta francos a menos do salário. Porém, ofereceu-me um copo de Courvoisier 1848, e imagino que ele achava que isso completava a diferença. Contrataram para meu lugar um tcheco, um *plongeur* muito competente, e a coitada da cozinheira foi demitida poucas semanas depois. Posteriormente, ouvi dizer que, com duas pessoas de primeira linha na cozinha, o trabalho do *plongeur* diminuíra para quinze horas diárias. Menos do que isso seria impossível, exceto se modernizassem a cozinha.

Capítulo 22

"À MEIA-NOITE, ELA ROUBAVA UM PACOTE DE COMIDA PARA O MARIDO, ENFIAVA-O EMBAIXO DAS ROUPAS E IA EMBORA, CHORAMINGANDO QUE AQUELAS HORAS DE TRABALHO IRIAM MATÁ-LA E QUE IRIA PEDIR DEMISSÃO NA MANHÃ SEGUINTE."

Vou dar minha opinião sobre a vida de um *plongeur* de Paris, se é que ela vale alguma coisa. É estranho que milhares de pessoas em uma grande cidade moderna passem suas horas de vigília lavando pratos em antros quentes e subterrâneos. Por que essa vida continua, para que ela serve e quem quer que ela continue, e por quê. Não estou assumindo uma atitude meramente rebelde, *fainéant*. Estou tentando examinar o significado social da vida de um *plongeur*.

Começo contando que o *plongeur* é um dos escravos do mundo moderno. Não que haja necessidade de ter pena dele, pois está em melhor situação do que muitos trabalhadores braçais, mas ainda assim não é mais livre do que se fosse comprado e vendido. Seu trabalho é servil e sem arte; pagam-lhe apenas o suficiente para mantê-lo vivo; só tem férias quando é demitido. Não tem condições de se casar e, se casar, sua mulher vai precisar trabalhar também. Exceto por um acaso feliz, não tem como escapar dessa vida, a não ser indo para a prisão. Neste momento, há homens com diploma universitário esfregando pratos em Paris de dez a quinze horas por dia. Não se pode dizer que é mera preguiça deles, pois um homem preguiçoso não pode ser um *plongeur*; eles simplesmente caíram na armadilha de uma rotina que torna impossível pensar. Se os *plongeurs* pensassem, teriam criado um sindicato há muito tempo e feito greve por um tratamento melhor. Mas eles não pensam, porque não têm tempo para isso; a vida que levam fez deles escravos.

Mas por que essa escravidão continua? As pessoas costumam concluir que todo trabalho é feito com um objetivo bastante justificado. Elas veem alguém fazendo um serviço desagradável e pensam que resolvem as coisas dizendo que aquele serviço é necessário. Mineração de carvão, por exemplo, é um trabalho duro, mas é necessário – precisamos de carvão. Trabalhar nos esgotos é desagradável, mas alguém precisa trabalhar nos esgotos. E o mesmo se dá com o trabalho do *plongeur*. Algumas pessoas precisam se alimentar em restaurantes e, portanto, outras pessoas devem lavar pratos oitenta horas por semana. É consequência da civilização e, portanto, inquestionável. Vale a pena examinar essa questão.

O serviço do *plongeur* é realmente importante para a civilização? Parece vagamente que é um trabalho "honesto", porque é duro e desagradável, e fizemos do trabalho braçal uma espécie de fetiche. Vemos um homem derrubando uma árvore e temos certeza de que ele está satisfazendo uma necessidade social, só porque usa seus músculos; não nos ocorre que talvez esteja cortando uma bela árvore a fim de abrir espaço para uma estátua horrenda. Creio que o mesmo ocorre com o *plongeur*. Ele ganha o pão com o suor de seu rosto, mas não se deve concluir daí que esteja realizando algo útil; ele talvez esteja apenas fornecendo um luxo que, muitas vezes, não é um luxo.

Como exemplo do que quero dizer com luxos que não são luxos, tomemos um caso extremo, como dificilmente se vê na Europa. Veja um puxador de riquixá indiano ou um jumento que puxa gharri, o carro de aluguel na Índia. Em qualquer cidade do Extremo Oriente há centenas de puxadores de riquixá, negros infelizes de cinquenta quilos vestidos com tangas. Alguns são doentes; alguns têm cinquenta anos de idade. Por quilômetros sem fim, trotam sob sol ou chuva, com a cabeça baixa, puxando pelos varais, o suor pingando de seus bigodes grisalhos. Quando andam demasiado devagar, o passageiro os amaldiçoam. Ganham trinta ou quarenta rupias por mês e destroem seus pulmões em alguns anos. Os jumentos de carros de aluguel são bestas descarnadas e violentas que foram vendidas barato por terem poucos anos de trabalho pela frente. Seu dono considera o chicote um substituto da comida. O trabalho deles se expressa numa espécie de equação – chicote mais comida igual a energia; em geral, é cerca de 60% de açoite e 40% de comida. Às vezes, têm uma imensa ferida ao redor do pescoço, de tal modo que puxam o carro o dia inteiro em carne viva. Porém, ainda assim é possível fazê-los trabalhar: é só uma questão de chicotear tanto que a dor de trás supera a da frente. Após alguns anos, até o chicote perde a eficácia e o jumento vai para o matadouro de cavalos velhos. São dois exemplos de trabalho desnecessário, pois não há uma verdadeira necessidade de riquixás nem de carros de aluguel; eles só existem porque os orientais consideram vulgar andar a pé. São luxos e, como qualquer um que tenha andado neles sabe, luxos muito pobres. Eles possibilitam uma pequena quantidade de conveniência, que de forma alguma justifica o sofrimento de homens e animais.

O *plongeur* é um rei, se comparado com o puxador de riquixá ou com um jumento de gharri, mas seu caso é análogo. Ele é o escravo de um hotel ou restaurante, e sua escravidão é mais ou menos inútil. Pois, afinal, onde está a real necessidade da existência de grandes hotéis e restaurantes chiques? Supõe-se que eles devem proporcionar luxo, mas, na realidade, oferecem apenas uma imitação barata, zurrapa disso. Quase todo mundo odeia hotéis. Alguns restaurantes são melhores do que outros, mas é impossível conseguir em um restaurante uma refeição tão boa como a que se pode ter em casa pelo mesmo preço. Sem dúvida, hotéis e restaurantes devem existir, mas não há necessidade de que escravizem centenas de pessoas. O que gera o trabalho neles não são as coisas essenciais, mas as imposturas que supostamente representam o luxo. O requinte, como chamam, significa, na verdade, apenas que os funcionários trabalham mais e os clientes pagam mais; ninguém se beneficia, exceto o proprietário, que logo comprará uma casa de campo em Deauville. Essencialmente, um hotel "requintado" é um lugar onde cem pessoas labutam como o diabo para que duzentas possam pagar os olhos da cara por coisas de que realmente não necessitam. Se o absurdo fosse eliminado dos hotéis e restaurantes, e o trabalho fosse feito com uma eficiência simples, os *plongeurs* talvez trabalhassem seis ou oito horas por dia, em vez de dez ou quinze.

O trabalho do *plongeur* é mais ou menos inútil. Então vem a pergunta: por que alguém quer que ele continue a trabalhar? Estou tentando ir além da causa econômica imediata e examinar que prazer alguém pode sentir ao imaginar homens lavando pratos pelo resto da vida. Pois não há dúvida de que algumas pessoas – confortavelmente situadas na vida – encontram prazer nesses pensamentos. Marcos Cato dizia que um escravo deve trabalhar quando não está dormindo. Não importa se seu trabalho é necessário ou não, ele deve trabalhar porque o trabalho é em si mesmo bom – para escravos, pelo menos. Esse sentimento ainda sobrevive e criou montanhas de trabalho enfadonho e inútil.

Penso que esse instinto de manter o trabalho inútil é, no fundo, simples medo da plebe. Essa gentalha (costumam pensar) é constituída por animais tão vis que se tornariam perigosos se tivessem lazer; é mais seguro mantê-los bastante ocupados para evitar que pensem. Se perguntarem a um homem rico que seja intelectualmente honesto sobre a melhoria das condições de trabalho, ele dirá algo assim:

– Sabemos que a pobreza é desagradável; na verdade, uma vez que é tão remota, gostamos um pouco de nos angustiar com a ideia de sua aversão. Mas não esperem que façamos alguma coisa a respeito dela. Temos pena de vocês, classes baixas, tanto quanto temos pena de um gato com sarna, mas lutaremos como demônios contra qualquer melhoria de sua condição. Achamos que vocês estão muito mais seguros assim como vivem. O atual estado das coisas nos convém e não vamos assumir o risco de libertá-los, nem mesmo de uma hora extra por dia. Então, queridos irmãos, uma vez que vocês devem evidentemente suar para pagar nossas viagens à Itália, suem e que se danem.

Essa é, particularmente, a postura de pessoas inteligentes e cultas; pode-se ler a substância disso em centenas de ensaios. Bem poucas pessoas cultas têm menos de (digamos) quatrocentas libras esterlinas por ano e, naturalmente, ficam ao lado dos ricos porque imaginam que qualquer liberdade concedida aos pobres é uma ameaça a sua própria liberdade. Prevendo alguma sinistra utopia marxista como alternativa, o homem instruído prefere manter as coisas como estão. É possível que ele não goste muito de seus companheiros ricos, mas supõe que até o mais vulgar deles é menos inimigo de seus prazeres, mais seu tipo de gente, do que os pobres, e que é melhor defendê-los. É esse medo de uma plebe supostamente perigosa que faz com que quase todas as pessoas inteligentes tenham opiniões conservadoras.

O medo da plebe é supersticioso. Baseia-se na ideia de que há alguma diferença fundamental e misteriosa entre ricos e pobres, como se fossem duas raças diversas, como negros e brancos. Mas, na realidade, não existe diferença. A massa dos ricos e a dos pobres diferenciam-se por suas rendas e nada mais, e o milionário típico é apenas o lavador de pratos típico com roupa nova. Troquem-se os lugares e adivinhem quem é o juiz e quem é o ladrão. Quem quer que tenha se misturado em termos iguais com os pobres sabe disso muito bem. Mas o problema é que as pessoas inteligentes e cultas, exatamente aquelas que deveriam ter opiniões liberais, jamais se misturam com os pobres. Pois o que a maioria das pessoas instruídas sabe sobre pobreza? Em meu exemplar dos poemas de Villon traduzidos para o inglês, o editor julgou necessário explicar o verso *"Ne pain ne voyent qu'aux fenestres"* em uma nota de rodapé, tão remota é a fome da experiência do homem culto. Dessa ignorância resulta naturalmente um medo supersticioso da plebe. O homem instruído imagina uma horda de sub-humanos, desejosos apenas de um dia de liberdade para saquear sua casa, queimar seus livros e pô-lo a trabalhar cuidando de uma máquina ou varrendo um banheiro. "Antes qualquer coisa", ele pensa, "qualquer injustiça, a libertar a plebe. Não vê que, uma vez que não existe diferença entre a massa de ricos e a de pobres, não se trata de libertar a plebe. A plebe, na verdade, está livre agora e – na forma de homens ricos – está usando seu poder para montar enormes moinhos de tédio, tais como os hotéis "elegantes".

    O *plongeur* é um escravo, e um escravo mal utilizado, que executa um trabalho estúpido e, em larga medida, desnecessário. Em última análise, ele é mantido no trabalho devido a um vago sentimento de que seria perigoso se tivesse horas vagas. E as pessoas instruídas, que deveriam estar do lado dele, concordam com o processo, porque não sabem nada sobre ele e, em consequência, têm medo dele. Falo do *plongeur* porque é o caso dele que estou examinando, mas isso se aplicaria também a incontáveis tipos de trabalhadores. Estas são apenas minhas próprias ideias sobre os fatos básicos da vida de um *plongeur*, apresentadas sem referências imediatas a questões econômicas e, sem dúvida, são obviedades em sua maioria. Apresento-as como uma amostra dos pensamentos que passam pela cabeça de quem trabalha em um hotel.

Capítulo 23

"O velho estava terrivelmente dividido entre a cobiça e o medo. Suas entranhas tinham ânsias diante da ideia de ter, talvez, 50 mil francos de lucro, mas não conseguia se resolver a arriscar o dinheiro."

Assim que saí definitivamente do Auberge de Jehan Cottard, fui para cama e dormi onze horas seguidas. Depois escovei os dentes pela primeira vez em quinze dias, tomei banho, fui cortar o cabelo e tirei minhas roupas do penhor. Tive dois dias gloriosos de ócio. Cheguei mesmo a ir ao Auberge, com meu melhor terno, encostei no balcão e gastei cinco francos numa garrafa de cerveja inglesa. É uma sensação curiosa ser cliente onde você foi escravo de um escravo. Bóris lamentou que eu saísse do restaurante no momento exato em que estávamos *lancés* e havia uma chance de ganhar dinheiro.

Recebo notícias dele desde então; conta que está fazendo cem francos por dia e montou casa com uma garota que é *très sérieuse* e nunca cheira a alho.

Fiquei um dia andando pelo nosso bairro, dizendo adeus a todos. Foi nesse dia que Charlie me falou sobre a morte do velho Roucolle, o pão-duro que havia morado no bairro. É muito provável que Charlie estivesse mentindo, como sempre, mas era uma boa história.

Roucolle tinha morrido aos 74 anos, um ou dois anos antes de eu ir para Paris, mas as pessoas do bairro ainda falavam dele quando cheguei. Ele nunca se equiparou a um Daniel Dancer, ou a alguém dessa espécie, mas era um tipo interessante. Ia todas as manhãs ao Les Halles para pegar verduras estragadas, comia carne de gato, usava jornais como roupa de baixo e os lambris de seu quarto como lenha; fazia suas próprias calças com sacos – tudo isso tendo meio milhão de francos investidos. Eu gostaria muito de tê-lo conhecido.

Roucolle acabou mal por ter posto seu dinheiro num negócio fraudulento, como muitos sovinas. Um dia, apareceu um judeu no bairro, um sujeito jovem com aparência de homem de negócios, que dizia ter um plano perfeito para traficar cocaína para a Inglaterra. É bastante fácil comprar essa droga em Paris e o contrabando seria muito simples, mas há sempre um espião que delata o plano para a alfândega ou a polícia. Dizem que isso é feito com frequência pelas próprias pessoas que vendem a cocaína, porque o tráfico está nas mãos de um grande cartel que não quer concorrência. O judeu, porém, jurou que não havia perigo. Ele conhecia um jeito de obter cocaína direto de Viena, não pelos canais usuais, e não haveria propina a pagar. Havia entrado em contato com Roucolle por meio de um jovem polonês, estudante da Sorbonne, que poria 4 mil francos no negócio, se Roucolle pusesse 6 mil. Com isso, poderiam comprar cinco quilos de cocaína, que valeriam uma pequena fortuna na Inglaterra.

O polonês e o judeu travaram uma enorme luta para arrancar o dinheiro das garras do velho Roucolle. Seis mil francos não era muito – ele tinha mais do que isso costurado no colchão de seu quarto –, mas era um sofrimento para ele separar-se até mesmo de um soldo. O polonês e o judeu não o largaram durante semanas, explicando, intimidando, adulando, discutindo, ajoelhando-se e implorando que fornecesse o dinheiro. O velho estava terrivelmente dividido entre a cobiça e o medo. Suas entranhas tinham ânsias diante da ideia de ter, talvez, 50 mil francos de lucro, mas não conseguia se resolver a arriscar o dinheiro. Sentava-se a um canto com a cabeça entre as mãos, gemendo e, às vezes, gritando de agonia, e constantemente se ajoelhava (era muito devoto) e rezava pedindo força, mas ainda assim não conseguia se decidir. Porém, finalmente, mais por exaustão do que por qualquer outra coisa, de repente cedeu; cortou o colchão onde estava escondido o dinheiro e deu 6 mil francos ao judeu.

O judeu entregou a cocaína no mesmo dia e sumiu. Enquanto isso, o que não surpreende depois do espalhafato que Roucolle havia feito, o assunto circulou por todo o bairro. Na manhã seguinte, o hotel foi invadido e revistado pela polícia.

Roucolle e o polonês estavam apavorados. A polícia vinha lá de baixo, revistando cada quarto, e havia um grande pacote de cocaína sobre a mesa, sem lugar para escondê-lo e sem chance de escapar pelas escadas. O polonês era a favor de jogar a muamba pela janela, mas Roucolle nem queria ouvir falar disso. Charlie contou-me que estava presente no quarto. Disse que quando tentaram pegar o pacote de Roucolle, ele o apertou contra o peito e lutou como um louco, embora tivesse 74 anos. Estava desvairado de medo, mas antes ir para a prisão do que jogar seu dinheiro pela janela.

Quando a polícia já estava revistando o andar de baixo, alguém teve uma ideia. Um homem que morava no andar de Roucolle tinha uma dúzia de latas de pó de arroz para vender em consignação; alguém sugeriu que a cocaína poderia ser posta nas latas e passar por pó de arroz. O pó foi rapidamente jogado pela janela e substituído pela cocaína, e as latas foram colocadas claramente sobre a mesa de Roucolle, como se não houvesse nada a esconder.

Alguns minutos depois, a polícia chegou para revistar o quarto de Roucolle. Eles bateram nas paredes, olharam pela chaminé, reviraram as gavetas e examinaram as tábuas do chão, e então, quando estavam prestes a desistir, sem ter encontrado nada, o inspetor notou as latas sobre a mesa.

– *Tiens,* deem uma olhada nessas latas. Eu não as havia notado. O que tem dentro delas, hein?

– Pó de arroz, disse o polonês, com toda a calma que conseguiu reunir.

Mas no mesmo instante Roucolle soltou um gemido alto e a polícia suspeitou imediatamente. Abriram uma das latas e pegaram uma amostra do conteúdo; depois de cheirá-lo, o inspetor disse que achava que era cocaína.

Roucolle e o polonês começaram a jurar pelos nomes de todos os santos que era apenas pó de arroz, mas não adiantou: quanto mais protestavam, mais a polícia suspeitava. Os dois foram presos e levados para a delegacia, seguidos por metade do bairro.

Roucolle e o polonês foram interrogados pelo delegado, enquanto uma lata de cocaína era enviada para análise. Charlie disse que Roucolle fez uma cena indescritível. Chorou, rezou, fez declarações contraditórias e denunciou o polonês, tão alto que se escutava meia quadra adiante. Os policiais quase explodiram de tanto rir. Depois de uma hora, um policial voltou com a lata de cocaína e um bilhete do analista. Estava rindo.

– Isto não é cocaína, *monsieur*, disse ele.

– O quê, não é cocaína?, disse o delegado. *Mais alors* – o que é então?

– Pó de arroz.

Roucolle e o polonês foram logo soltos, totalmente isentos de culpa, mas estavam com muita raiva. O judeu os havia enganado. Mais tarde, passada a confusão, descobriu-se que ele aplicara o mesmo golpe em outras duas pessoas do bairro.

O polonês deu-se por feliz por ter escapado, embora tivesse perdido 4 mil francos, mas o pobre Roucolle ficou totalmente arrasado. Foi para cama, e durante todo o dia e metade da noite o escutaram praguejando, murmurando e, às vezes, gritando a plenos pulmões:

– Seis mil francos! *Nom de Jésus Christ!* Seis mil francos!"

Três dias depois teve uma espécie de derrame e em quinze dias estava morto – de coração partido, disse Charlie.

Capítulo 24

"Estava tão satisfeito por voltar para casa, depois de passar dificuldades durante meses numa cidade estrangeira, que a Inglaterra me parecia uma espécie de paraíso."

Fui para a Inglaterra em trem de terceira classe, via Dunquerque e Tilbury, que é a maneira mais barata, mas não a pior, de atravessar o canal da Mancha. Como era preciso pagar à parte pela cabine, dormi no salão, com a maioria dos passageiros da terceira classe. Encontrei a seguinte anotação sobre aquele dia em meu diário:

"Dormindo no salão, 27 homens, dezesseis mulheres. Das mulheres, nenhuma lavou o rosto esta manhã. A maioria dos homens foi ao banheiro; as mulheres apenas pegaram suas frasqueiras e cobriram a sujeira com pó de arroz. Pergunta: uma diferença sexual secundária?"

Na viagem, contatei um casal de romenos, quase crianças, que iam à Inglaterra em lua de mel. Fizeram-me inúmeras perguntas sobre meu país e lhes contei algumas mentiras incríveis. Estava tão satisfeito por voltar para casa, depois de passar dificuldades durante meses numa cidade estrangeira, que a Inglaterra me parecia uma espécie de paraíso. Há muitas coisas na Inglaterra que deixam você contente em voltar: banheiros, poltronas, molho de menta, batatas frescas cozidas adequadamente, pão de centeio, geleias de frutas cítricas, cerveja feita com lúpulo verdadeiro – é tudo esplêndido, quando se pode pagar. A Inglaterra é um país muito bom se você não for pobre. E, naturalmente, com um inofensivo deficiente para cuidar, eu não seria pobre. A ideia de não ser pobre me deixou muito patriota. Quanto mais perguntas os romenos faziam, mais eu elogiava a Inglaterra: o clima, a paisagem, a arte, a literatura, as leis – tudo na Inglaterra era perfeito.

Se a arquitetura inglesa era boa?

– Magnífica! – respondix. Vocês deveriam ver as estátuas de Londres! Paris é vulgar – metade grandiosidade, metade cortiços. Mas Londres...

O barco atracou em Tilbury. O primeiro edifício que vimos à beira-mar foi um daqueles hotéis enormes, todo de estuque e pináculos, que mais parecem idiotas olhando por cima dos muros de um hospício. Vi os romenos, polidos demais para dizer alguma coisa, olhar maliciosamente para o hotel.

– Construído por arquitetos franceses, garanti a eles.

Mesmo mais tarde, quando o trem entrou em Londres através dos cortiços do lado leste, continuei sustentando as belezas da arquitetura inglesa. Nada que eu dissesse sobre a Inglaterra parecia um exagero, agora que eu chegava em casa e não estava mais duro.

Fui ao escritório de B. e suas primeiras palavras transformaram tudo em ruínas.

– Lamento", disse ele, mas seus patrões viajaram para o exterior, junto com o paciente.

Porém voltarão em um mês. Pode aguentar até lá?

Já estava de volta à rua quando me ocorreu que deveria ter pedido algum dinheiro emprestado. Havia um mês de espera pela frente e eu tinha exatamente dezenove xelins e seis pence na mão. A notícia me deixou sem fôlego. Durante um longo tempo, não consegui decidir o que fazer. Passei o dia nas ruas e, à noite, sem ter a menor noção de como conseguir uma cama barata em Londres, fui a um hotel "familiar", onde a diária era sete xelins e seis pence. Depois de pagar a conta, sobraram-me dez xelins e dois pence.

No outro dia, eu já havia feito meus planos. Mais cedo ou mais tarde, procuraria B. para pedir mais dinheiro, mas como parecia pouco decente fazê-lo de imediato, naquele ínterim eu deveria sobreviver de alguma maneira. A experiência passada me dizia para não empenhar meu melhor terno. Deixaria todas as minhas coisas no guarda-volumes da estação, exceto meu segundo melhor terno, que poderia trocar por algumas roupas baratas e talvez por uma libra esterlina. Se eu ia viver um mês com trinta xelins, deveria ter roupas ruins – de fato, quanto piores, melhor. Se seria possível fazer trinta xelins durarem um mês, eu não fazia a menor ideia, sem conhecer Londres como eu conhecia Paris. Talvez eu pudesse mendigar, ou vender cadarços de sapatos, e lembrei de artigos que lera nos jornais dominicais sobre mendigos que tinham 2 mil libras costuradas nas calças. De qualquer modo, como era notoriamente impossível morrer de fome em Londres, não havia nenhum motivo para ficar ansioso.

Fui a Lambeth vender minhas roupas. Lá as pessoas são pobres e há muitos brechós. No primeiro que tentei, o proprietário foi polido, mas de pouca ajuda; no segundo, foi rude; no terceiro, era surdo como pedra, ou fingia sê-lo. O quarto proprietário era um jovem alto e loiro, rosado como uma fatia de presunto. Olhou para as roupas que eu vestia e apalpou-as de forma depreciativa entre o polegar e o indicador.

– Material ruim, disse, muito ruim mesmo. (Era um terno bastante bom.) Quanto quer por elas?

Expliquei que queria algumas roupas mais velhas e o máximo em dinheiro que pudesse me pagar. Ele pensou por um instante, depois juntou alguns trapos de aparência suja e jogou-os sobre o balcão.

– E o dinheiro?, perguntei, na esperança de conseguir uma libra.

Ele apertou os lábios e depois pegou um xelim e o colocou ao lado das roupas. Ia discutir, mas quando abri a boca, ele esticou o braço como se fosse pegar o xelim de volta; percebi que eu não tinha opção. Ele deixou que eu trocasse de roupa num quartinho atrás da loja.

As roupas eram um paletó, outrora marrom-escuro, umas calças pretas de algodão grosseiro, um cachecol e um boné de pano. Eu ficara com minha camisa, minhas meias e botas, e tinha um pente e uma navalha no bolso. Vestir tais roupas dá uma sensação muito estranha. Eu já usara coisas ruins antes, mas nada como aquilo; não eram apenas sujas e disformes, elas tinham – como posso expressar isso? – uma falta de graça, uma cobertura de sujeira antiga, bem diferente da simples roupa surrada. Era o tipo de roupa que se vê num vendedor de cadarços de botas ou num vagabundo. Uma hora depois, em Lambeth, vi um sujeito de aparência desprezível, obviamente um vadio, vindo na minha direção, e quando olhei de novo era eu mesmo refletido na vitrine de uma loja. A sujeira já estava colando em meu rosto. A sujeira é uma grande respeitadora das pessoas: ela não o ataca quando você está bem vestido, mas, assim que seu colarinho se foi, ela cai em cima de você de todos os lados.

Fiquei nas ruas até tarde da noite, andando sempre. Vestido daquele modo, eu estava meio com medo de que a polícia pudesse me prender por vadiagem, e não ousava falar com ninguém, imaginando que pudessem perceber a disparidade entre meu sotaque e minhas roupas. (Mais tarde, descobri que isso nunca acontecia.) Minhas novas roupas me haviam colocado no mesmo instante em um novo mundo. O comportamento de todos parecia ter mudado abruptamente. Ajudei um vendedor ambulante a pegar um carrinho que havia derrubado. "Obrigado, companheiro", disse ele com um sorriso forçado. Ninguém jamais me chamara de companheiro – eram as roupas que haviam provocado aquilo. Pela primeira vez, notei também como a atitude das mulheres varia conforme as roupas dos homens. Quando passa um homem malvestido, elas se afastam dele com um movimento bem franco de repugnância, como se ele fosse um gato morto. As roupas são coisas poderosas. Vestido com roupas de mendigo, é muito difícil, pelo menos no primeiro dia, não sentir que se está totalmente degradado. Deve-se sentir a mesma vergonha, irracional mas muito real, quando se passa uma primeira noite na prisão.

Comecei a procurar um lugar para dormir por volta de onze horas. Eu havia lido sobre pensões baratas e imaginava que se poderia conseguir uma cama por quatro pence ou algo assim. Aliás, nunca chamam de pensões. Ao ver um homem – um trabalhador braçal ou algo do tipo – parado no meio-fio da Waterloo Road, parei e falei com ele. Disse-lhe que estava sem dinheiro e queria a cama mais barata possível.

– Ah, vá até aquela casa ali, do outro lado da rua, com a placa 'Boas camas para homens solteiros'. É um bom lugar para dormir. Eu mesmo fico lá de vez em quando. É barato e limpo.

Era uma casa alta de aparência arruinada, com luzes fracas em todas as janelas, algumas das quais remendadas com papel pardo. Entrei por um corredor de pedra, e um menino pequeno e anêmico com olhos sonolentos apareceu numa porta que dava para o porão. Vinham murmúrios lá de baixo e um bafo de ar quente e de queijo. O menino bocejou e estendeu a mão.

– Quer uma cama? Custa um xelim, chefe.

Paguei o xelim e o menino me conduziu para cima por uma escada escura e instável até um quarto. Havia uma atmosfera infecta e adocicada de elixir paregórico e lençóis imundos; as janelas pareciam estar bem trancadas e de início o ar era quase sufocante. Havia uma vela acesa, e vi que o quarto media menos de cinco metros quadrados por dois e meio de altura, e tinha oito camas. Seis pessoas já estavam deitadas, estranhas formas protuberantes com todas as suas roupas, inclusive as botas, empilhadas em cima delas. Alguém tossia de um jeito repulsivo em algum canto.

Descobri ao subir que a cama era dura como tábua e o travesseiro um mero cilindro duro como uma acha de lenha. Era pior do que dormir sobre uma mesa, porque a cama não tinha um metro e oitenta de comprimento e era muito estreita, e o colchão de tal modo convexo que era preciso se agarrar nele para não cair. Os lençóis fediam tanto a suor que não consegui suportá-los perto do nariz. As roupas de cama consistiam apenas desses lençóis e de uma colcha de algodão, mas, embora fosse um quarto abafado, não era quente. Vários ruídos se repetiram durante a noite. Mais ou menos de hora em hora, o homem à minha esquerda – um marujo, imagino – acordava, praguejava violentamente e acendia um cigarro. Outro homem, vítima de alguma doença na bexiga, levantou-se uma meia dúzia de vezes durante a noite para fazer um barulhento uso de seu urinol. O homem do canto tinha um ataque de tosse a cada vinte minutos, e com tal regularidade que a gente ficava esperando por ele como se espera pelo próximo latido de um cão que ladra para a lua. Era um som indizivelmente repelente; um borbulhar e uma ânsia de vômito nojentos, como se suas entranhas estivessem sendo revolvidas. Toda vez que ele tossia ou o outro homem praguejava, uma voz sonolenta de outra cama gritava:

– Fica quieto! Ah, pelo amor de Deus, fica quieto!

No total, consegui dormir cerca de uma hora. Pela manhã, fui acordado pela vaga impressão de uma coisa grande e marrom vindo na minha direção. Abri os olhos e vi que era um dos pés do marujo, projetando-se da cama perto do meu rosto. Era escuro, bem marrom-escuro como o de um indiano, de sujeira. As paredes eram asquerosas e os lençóis, três semanas sem lavar, tinham uma cor quase de ferrugem. Levantei-me, vesti-me e desci as escadas. No porão, havia uma fileira de bacias e duas toalhas de rolo corrediças. Eu tinha um pedaço de sabão no bolso e ia me lavar quando notei que todas as bacias estavam encardidas – sujeira sólida, grudada, tão preta quanto graxa de sapato. Saí sem me lavar. No todo, a pensão não estava à altura de sua descrição como barata e limpa. Porém, como descobri depois, representava bem a sua classe.

Fui para o outro lado do rio e andei longo tempo para o leste, entrando finalmente num café em Tower Hill. Um café londrino comum, como milhares de outros, parecia esquisito e estrangeiro depois de Paris. Era uma pequena sala abafada com bancos de encosto alto que tinham sido moda na década de 1840, o menu do dia escrito num espelho com um pedaço de sabão, e uma garota de catorze anos servindo os pratos. Trabalhadores braçais comiam de embrulhos de jornal e bebiam chá em enormes canecas sem pires. Em um canto, sozinho, um judeu com o nariz enfiado no prato comia bacon com ar culpado.

– Pode me servir chá com pão e manteiga?, pedi à garota.

Ela me olhou fixo e respondeu, espantada:.

– Não tem manteiga, só margarina, respondeu.

Ela repetiu o pedido com a frase que é para Londres o que o eterno *coup de rouge* é para Paris:

– Chá grande e duas fatias!.

Na parede, ao lado de meu banco, um aviso dizia: "Não é permitido embolsar o açúcar".

Abaixo do aviso, algum cliente poético havia escrito:

"Aquele que leva o açúcar, escuta, Será chamado de porco filho da...

Alguém tevee o trabalho de raspar a última palavra. Isso era a Inglaterra. O chá com duas fatias custou três pence e meio, deixando-me com oito xelins e dois pence.

Na Pior em Paris e Londres

Capítulo 25

"Era pior do que dormir sobre uma mesa, porque a cama não tinha um metro e oitenta de comprimento e era muito estreita, e o colchão de tal modo convexo que era preciso se agarrar nele para não cair."

Os oito xelins duraram três dias e quatro noites. Depois da experiência ruim na Waterloo Road, mudei-me mais para leste e passei a noite seguinte em uma hospedaria em Pennyfields. Era uma hospedaria típica, como centenas de outras em Londres. Acomodava de cinquenta a cem homens, e era dirigida por um "delegado" – ou seja, um representante do dono, pois essas hospedarias são negócios lucrativos e propriedades de homens ricos. Dormíamos quinze ou vinte em um dormitório; as camas também eram frias e duras, mas os lençóis tinham sido lavados havia apenas uma semana, o que já era um progresso. O preço era nove pence ou um xelim (no dormitório de um xelim as camas ficavam a quase dois metros umas das outras, em vez de 1,20 metro), e as condições eram pagamento à vista às sete da noite, ou então rua.

Tinha embaixo uma cozinha comum para todos os inquilinos, com fogão gratuito e um suprimento de panelas, chaleiras e garfos de tostar. Dois grandes fogões a carvão eram mantidos acesos dia e noite durante o ano todo. O trabalho de conservar o fogo aceso, varrer a cozinha e arrumar as camas era feito pelos hóspedes, em rodízio. Um deles, mais antigo, um estivador com aparência de normando chamado Steve, era conhecido como o "chefe da casa", e era o árbitro das disputas e encarregado não remunerado das expulsões.

A cozinha ficava em um porão de teto baixo bem subterrâneo, muito quente e entorpecido pela fumaça do carvão, iluminado apenas pelos fogos, que lançavam sombras pretas aveludadas nos cantos. Trapos lavados pendiam de cordas presas no teto. Homens iluminados pela luz vermelha, na maioria estivadores, andavam ao redor dos fogos com panelas; alguns estavam totalmente nus, pois haviam lavado suas roupas e esperavam que elas secassem. À noite, havia jogos de cartas e damas e canções – "Sou um cara que foi maltratado pelos pais" era uma das preferidas, assim como outra canção popular sobre um naufrágio. Às vezes, tarde da noite, alguns chegavam com um balde de caramujos que haviam comprado barato e compartilhavam com todos. Havia uma partilha geral da comida e era consenso dar alimento àqueles que estavam desempregados. Um sujeito pálido e mirrado, que obviamente estava morrendo, a quem se referiam como "coitado do Brown, vive indo ao médico e já foi cortado três vezes", era habitualmente alimentado pelos outros.

Uns dois ou três dos hóspedes eram aposentados idosos. Até conhecê-los, eu nunca me dera conta de que existem pessoas idosas na Inglaterra que vivem apenas da pensão de dez xelins por semana. Nenhum desses homens tinha outros recursos. Um deles era loquaz e perguntei-lhe como conseguia viver. Ele disse:

– Bem, são nove pence por noite pela cama – isso dá cinco xelins e três pence por semana. Depois, três pence aos sábados para fazer a barba – dá cinco e seis. Depois, digamos que você corta o cabelo uma vez por mês por seis pence – são mais três pence por semana. Então você tem uns quatro xelins e quatro pence para comida e cigarro.

Não conseguia incluir outras despesas. Sua comida era pão, margarina e chá – perto do final da semana, pão seco e chá sem leite – e talvez obtivesse suas roupas de uma casa de caridade. Parecia satisfeito, valorizando sua cama e o fogo mais do que a comida. Mas, com uma renda de dez xelins por semana, gastar dinheiro com barbeiro era assombroso.

Durante o dia todo eu vagava pelas ruas, para leste, até Wapping, e para oeste, até Whitechapel. Era esquisito, depois de Paris; tudo era muito mais limpo, mais tranquilo e mais enfadonho. Sentia falta do guincho dos bondes, da vida ruidosa e pustulenta dos becos e dos homens armados em tropel pelas praças. A multidão era mais bem vestida e os rostos mais graciosos e suaves e mais parecidos uns com os outros, sem aquela individualidade feroz e a malícia dos franceses. Havia menos bebedeiras, menos sujeira, menos brigas e mais ócio. Por todos os cantos havia grupos de homens levemente malnutridos, mas sustentados pelo chá-e-duas-fatias que o londrino engole de duas em duas horas. Parecia que se respirava um ar menos febril do que em Paris. Era a terra da chaleira e da bolsa de empregos, assim como Paris é a terra do bistrô e dos estabelecimentos que exploram desumanamente os empregados.

Era curioso mirar a multidão. As mulheres do leste de Londres são bonitas (é a mistura de sangue, talvez), e Limehouse estava cheia de orientais – chineses, lascares de Chittagong [Bangladesh], dravidianos vendendo lenços de seda, até alguns siques, Deus sabe como. Aqui e ali havia ajuntamentos de rua. Em Whitechapel, alguém chamado O Evangelho Cantante tratava de nos salvar do inferno pela quantia de seis pence. Na East India Dock Road, o Exército de Salvação oficiava um culto. Cantavam "Alguém aqui gosta de Judas traidor?" ao som de "O que fazer com um marujo bêbado?".

Em Tower Hill, dois mórmons tentavam falar para um grupo. Ao redor do palanque uma turba de homens gritava e aparteava. Alguém os acusava de polígamos. Um homem barbudo e coxo, evidentemente ateu, havia escutado a palavra Deus e a todo instante fazia intervenções raivosas. Houve um tumulto confuso de vozes.

– Meus queridos amigos, por favor, deixem-nos terminar o que estávamos dizendo...

– Deixem eles falar. Não comecem a discutir!

– Não, não, você me responda. Pode me mostrar Deus? Você me mostra ele, então eu vou acreditar nele.

– Ah, cala a boca, não interrompa!

– Interrompa você!

– Polígamos f...! Bem, tem muita coisa a ser dita a favor da poligamia. Tirar as mulheres f... da indústria, em todo caso.

– Meus queridos amigos, se vocês...

– Não, não! Não muda de assunto. Você já viu Deus? Você tocou nele? Você apertou a mão dele?

– Ora, não comecem a discutir, pelo amor de Deus, não comecem a discussão! etc. etc.

Ouvi durante vinte minutos, ansioso para aprender algo sobre o mormonismo, mas a reunião nunca foi além dos gritos. É o destino das reuniões de rua.

Na Middlesex Street, em meio à multidão no mercado, uma mulher emporcalhada e desmazelada puxava um pirralho de cinco anos pelo braço. Ela sacudia uma corneta de latão diante do rosto dele. O pirralho berrava.

– Divirta-se!, gritava a mãe. O que você pensa, eu o trouxe até aqui e comprei uma corneta para você e tudo... Quer levar umas palmadas? Seu desgraçadinho, você vai ter que se divertir!

Algumas gotas de cuspe caíram da corneta. A mãe e a criança desapareceram, ambas aos berros. Era tudo muito esquisito, depois de Paris.

Na última noite que passei na pensão de Pennyfields houve uma briga entre dois inquilinos, uma cena terrível. Um dos velhos aposentados, de cerca de setenta anos, nu até a cintura (estivera lavando roupa), ofendia violentamente um estivador baixo e atarracado, que estava de costas para o fogão. Eu podia ver o rosto do velho à luz do fogo e ele estava quase chorando de dor e raiva. Evidentemente, alguma coisa muito grave havia acontecido. O velho aposentado:

– Seu* * *

O estivador:

– Cala a boca, seu velho * * *, antes que eu acabe com você!

O velho aposentado:

]– Só experimenta, seu* * * Sou trinta anos mais velho que você, mas ainda tenho força para te dar uma porrada e te enfiar num balde cheio de mijo!

O estivador:

– Ah, e aí eu acabava com você, seu velho * * *!

Isso durante cinco minutos. Os hóspedes sentaram em volta, infelizes, tentando não fazer caso da briga. O estivador estava emburrado, mas o velho ficava cada vez mais furioso. Fazia pequenas investidas contra o outro, esticando o rosto e gritando a poucos centímetros de distância, como um gato num muro, e cuspia. Tentava criar coragem para dar um golpe, mas não conseguia. Por fim, explodiu:

– Um * * * é o que você é, um * * *. Pegue a sua coisa suja e chupe, seu* * * Por * * * vou esmagar você antes de terminar com você. Um * * *, isso é o que você é, um filho de uma * * * puta. Lamba isso, seu* * * É isso que eu penso de você, seu * * *, seu * * *, seu* * *, seu negro filho da * * *!

Depois disso, ele caiu de repente sobre um banco, enfiou a cara entre as mãos e começou a chorar. O outro homem, vendo que o sentimento geral lhe era desfavorável, saiu.

Mais tarde, ouvi Steve explicando a causa da briga. Parece que foi tudo por causa de um xelim de comida. De algum modo, o velho havia perdido sua reserva de pão e margarina e não teria nada para comer nos três dias seguintes, exceto o que os outros lhe dessem por caridade. O estivador, que estava empregado e bem alimentado, havia zombado dele; daí a briga.

Quando meu dinheiro caiu para um xelim e quatro pence, passei uma noite numa hospedaria de Bow, onde o preço era apenas oito pence. Passava-se por um pátio e um beco até descer num porão profundo e abafado, de uns três metros quadrados.

Dez homens, na maioria trabalhadores braçais, estavam sentados diante do clarão ardente da lareira. Era meia-noite, mas o filho do "delegado", uma criança pálida e pegajosa de cinco anos, estava lá, brincando no colo dos trabalhadores. Um velho irlandês assobiava para um passarinho cego numa gaiola minúscula. Havia outros pássaros canoros ali – coisinhas minúsculas e apagadas que haviam passado a vida no subsolo. Os hóspedes costumavam urinar na lareira, para economizar a ida ao banheiro, que ficava do outro lado de um quintal. Ao sentar-me à mesa, senti algo se mover perto de meus pés e, ao olhar, vi uma onda de coisas pretas se movendo lentamente pelo chão; eram baratas orientais.

Havia seis camas no dormitório, e os lençóis, marcados com letras enormes "Roubado do nº-... Bow Road", fediam terrivelmente. Na cama a meu lado jazia um homem muito velho, um artista de rua, com um arqueamento extraordinário da espinha que o fazia transpassar a cama, com as costas a trinta ou sessenta centímetros do meu rosto. Estavam nuas e marcadas com curiosos veios de sujeira, como um tampo de mármore. Durante a noite, um homem chegou bêbado e vomitou no chão, perto de minha cama. Havia insetos também, não tantos como em Paris, mas o suficiente para manter alguém acordado. Era um lugar imundo. Contudo, o delegado e sua mulher eram pessoas amistosas e dispostas a fazer uma xícara de chá a qualquer hora do dia ou da noite.

Capítulo 26

"Alguns eram os velhos e sujos vagabundos habituais, mas a maioria era de garotos do Norte com aparência decente, provavelmente mineiros ou trabalhadores do algodão, desempregado."

Após pagar pelo chá e duas fatias de sempre e comprar quinze gramas de tabaco, sobrou-me meio pêni na manhã seguinte. Como ainda não queria pedir dinheiro a B., só me restava ir para um albergue de passagem.

Não tinha ideia de como proceder, mas sabia que havia um albergue desses em Romton, então caminhei até lá, chegando às três ou quatro da tarde. Encostado no chiqueiro do mercado de Romton, estava um velho irlandês encarquilhado, obviamente um mendigo. Fui até lá e me encostei ao lado dele e logo lhe ofereci minha caixa de fumo. Ele abriu a caixa e olhou com espanto:

– Meu Deus, tem uns seis pence de tabaco bom aqui! Onde diabos conseguiu isso? Você não está nessa vida há muito tempo?

– Por quê? Você não consegue arranjar tabaco?

– Ah, arranjo sim. Veja. – e mostrou uma lata enferrujada que outrora fora uma embalagem de Oxo Cubes. Nela havia vinte ou trinta baganas, apanhadas do chão. O irlandês disse que raramente conseguia outro tipo de tabaco; acrescentou que, com cuidado, era possível coletar uns cinquenta gramas de fumo por dia nas calçadas de Londres.

– Você saiu de um dos albergues de Londres, hein? – perguntou-me.

Respondi que sim, pensando que isso o faria me aceitar como um colega mendigo, e perguntei-lhe como era o albergue em Romton. Ele disse:

– Bem, é um albergue chocolate. Tem albergue chá e albergue chocolate, e albergue papa. Eles não te dão papa em Romton, graças a Deus – pelo menos não deram na última vez que estive lá. Desde então andei por York e Gales.

– Que tipo de papa?, perguntei.

– A papa? Uma caneca de água quente com uma droga de aveia no fundo, isso é a papa. Os albergues papa sao sempre os piores.

Conversamos por uma ou duas horas. O Irlandês era um velho simpático, mas cheirava muito mal, o que não surpreendia quando se ficava sabendo da quantidade de doenças de que sofria. Parece que (ele descrevia completamente os sintomas), indo de alto a baixo, havia as seguintes coisas erradas com ele:

no alto da cabeça, que era careca, tinha eczema; era míope e não tinha óculos; sofria de bronquite crônica; tinha uma dor não diagnosticada nas costas; tinha dispepsia; sofria de uretrite; tinha varizes, joanetes e pés chatos. Com esse conjunto de doenças, vagabundeava pelas estradas havia quinze anos.

Por volta das cinco horas, disse:

– Quer tomar uma xícara de chá? O albergue não abre antes das seis.

– Creio que gostaria.

– Tem um lugar aqui perto onde eles dão uma xícara de chá e um pãozinho grátis. Chá bom mesmo. Eles fazem você dizer um monte de orações malditas depois, mas que diabo! Faz o tempo passar. Vem comigo.

Ele me levou a um pequeno galpão de teto de zinco numa rua lateral, parecido com um pavilhão de críquete do interior. Havia mais uns 25 mendigos esperando. Alguns eram os velhos e sujos vagabundos habituais, mas a maioria era de garotos do Norte com aparência decente, provavelmente mineiros ou trabalhadores do algodão, desempregados. Logo a porta se abriu e uma senhora com um vestido de seda azul, óculos de aros de ouro e um crucifixo nos recebeu. Dentro, havia trinta ou quarenta cadeiras duras, um harmônio e uma litografia muito sangrenta da Crucificação.

Sem jeito, tiramos nossos bonés e sentamos. A senhora nos serviu o chá e, enquanto comíamos e bebíamos, ela ia de um lado para o outro falando em tom de bondade. Os temas eram religiosos – sobre como Jesus Cristo sempre tinha um lugar macio para homens pobres e rudes como nós, e sobre como o tempo passava depressa quando se estava na igreja, e sobre como fazia diferença para um homem na estrada se ele fizesse suas orações regularmente. Odiávamos aquilo. Sentados com as costas na parede, tamborilávamos no boné, ficávamos corados e tentávamos balbuciar alguma coisa quando a senhora se dirigia a nós. Sem dúvida, as intenções dela eram as melhores. Quando chegou perto de um dos rapazes do Norte com o prato de pãezinhos, disse a ele:

– E você, meu jovem, há quanto tempo não se ajoelha e fala com seu Pai no Céu?

Pobre rapaz, não conseguiu pronunciar uma palavra, mas sua barriga respondeu por ele com um ronco vergonhoso ao ver a comida. Depois disso, ficou tão tomado pela vergonha que mal conseguiu engolir o pão.

Apenas um homem conseguiu responder à senhora no mesmo estilo dela; era um rapaz esperto, de nariz vermelho, com jeito de cabo que havia perdido a insígnia por embriaguez. Era capaz de pronunciar as palavras "meu querido Senhor Jesus" com menos acanhamento do que qualquer um que eu tenha visto. Sem dúvida, deve ter aprendido o jeito na prisão.

Quando o chá acabou, os mendigos se olhavam furtivamente. Um pensamento surdo percorria a cabeça de todos: seria possível ir embora antes das orações? Alguém se remexeu na cadeira, sem, na verdade, se levantar, mas dando uma olhada para a porta, meio que sugerindo a ideia de uma retirada. A senhora o paralisou com um olhar e disse, num tom mais bondoso do que nunca:

– Não acho que você precise ir já. O albergue só abre às seis, ainda temos tempo para nos ajoelhar e dirigir algumas palavras ao nosso Pai. Acho que todos vamos nos sentir melhor depois, não é mesmo?

O homem do nariz vermelho foi bastante prestativo, puxando o pequeno órgão musical para o lugar e entregando os livros de oração. Estava de costas para a senhora e teve a ideia de distribuir os livros como se fossem cartas de baralho; ao fazê-lo, sussurrava para cada um:

– Pega aí, companheiro, uma carta de m*** pra você! Quatro ases e um rei! etc.

De cabeça descoberta, nos ajoelhamos entre as xícaras sujas e começamos a balbuciar que não havíamos feito coisas que deveríamos ter feito, e feito coisas que não deveríamos, e que não éramos saudáveis.

A senhora rezava com muito fervor, mas seus olhos nos vigiavam o tempo todo, para ter certeza de que estávamos atentos. Quando não estava olhando, sorríamos e piscávamos uns para os outros, e sussurrávamos piadas sujas, só para mostrar que não dávamos a mínima; mas aquilo grudava um pouco em nossas gargantas. Ninguém, com exceção do homem de nariz vermelho, tinha autocontrole suficiente para responder com mais do que um sussurro. Nos saímos melhor com a cantoria, embora um velho mendigo, que só conhecia a melodia de "Avante, soldados de Cristo", insistisse em cantá-la, estragando a harmonia.

As orações duraram uma hora e depois, com apertos de mãos à porta, fomos embora.

— Bem, acabou a chateação. Achei que essas m*** de rezas não iam acabar nunca. – disse alguém, ao ver que não seríamos mais ouvidos.

— Você ganhou seu pão, disse outro, tinha de pagar por ele.

— Rezar por ele, você quer dizer. Ah, não se consegue muito por nada. Eles não podem nem dar a p*** de uma xícara de chá de dois pence pra você sem que você tenha de ficar de joelhos.

Soaram murmúrios de aprovação. Claro que os mendigos não estavam agradecidos pelo chá gratuito. No entanto, era um chá excelente, tão diferente dos chás dos bares quanto um bom Bordeaux o é da porcaria que chamam de clarete colonial, e estávamos todos contentes por isso. Tenho certeza também de que era dado com boa-fé, sem intenção de nos humilhar. Desse modo, por uma questão de justiça, deveríamos estar agradecidos... mas mesmo assim não estávamos.

Capítulo 27

"No verão, os mendigos vão longe interior adentro, mas no inverno circulam o máximo possível em torno das grandes cidades, onde é mais quente e há mais instituições de caridade."

O irlandês me levou para o albergue transitório por volta de quinze para as seis. Era um quadrado escuro de alvenaria amarelo enfumaçado que ficava em um canto do terreno do asilo. Com suas fileiras de minúsculas janelas gradeadas, o muro alto e os portões de ferro que o separavam da rua, parecia muito uma prisão. Uma longa fila de homens andrajosos já esperava pela abertura do portão. Eram de todos os tipos e idades; o mais jovem, um garoto saudável de dezesseis anos; o mais velho, uma múmia desdentada e enrugada de 75 anos. Alguns eram mendigos calejados, reconhecíveis por seus bastões, bules de lata e rostos escurecidos pela poeira; outros eram operários desempregados, alguns lavradores, um auxiliar de escritório de colarinho e gravata, e dois certamente retardados mentais. Vistos em conjunto, recostados por ali, compunham um espetáculo desagradável. Nada ignóbil ou violento, mas um bando sem graça e esquálido, quase todos maltrapilhos e visivelmente subnutridos. Porém eram amistosos e não faziam perguntas. Muitos me ofereceram cigarros – baganas, na verdade.

Ficamos encostados na parede, fumando, e os mendigos contaram sobre os albergues em que tinham estado recentemente. Pelo que diziam, eram todos diferentes, cada um com seus defeitos e qualidades, e é importante conhecê-los quando se está na estrada. Um velho operário é capaz de descrever as peculiaridades de cada albergue da Inglaterra, tais como: em A, é permitido fumar, mas há percevejos nos alojamentos; em B, as camas são confortáveis, mas o porteiro é uma peste; em C, deixam você sair de manhã cedo, mas o chá é intragável; em D, os funcionários roubam seu dinheiro, se você tiver algum; e assim por diante.

Existem itinerários habituais, em que os albergues ficam a um dia de caminhada um do outro. Contaram-me que o trajeto Barnet–St. Albans é o melhor e me advertiram para ficar longe de Billericay e Chelmsford, e também de Ide Hill e Kent. Chelsea era considerado o albergue mais luxuoso da Inglaterra; alguém que o elogiava disse que os cobertores de lá se pareciam mais com os de prisão do que com os de albergue. No verão, os mendigos vão longe interior adentro, mas no inverno circulam o máximo possível em torno das grandes cidades, onde é mais quente e há mais instituições de caridade. Só que não podem parar, pois não é permitido entrar no mesmo albergue mais de uma vez por mês e, nos de Londres, duas vezes, sob pena de ficar preso por uma semana.

Um pouco após as seis, os portões se abriram e começamos a entrar, um de cada vez. No pátio, havia um escritório onde um funcionário anotava em um livro nosso nome, idade e atividades, e também os lugares de onde vínhamos e para onde íamos, para ter um controle dos movimentos dos mendigos. Disse que minha profissão era de pintor: eu havia pintado algumas aquarelas, quem já não pintou as suas?

O funcionário também perguntava se tínhamos algum dinheiro, e todos respondiam que não. É contra a lei entrar em um albergue com mais de oito pence, e qualquer quantia menor do que essa deve ser entregue na portaria. Mas, via de regra, os mendigos preferem esconder o dinheiro, amarrando-o apertado num pedaço de pano, para não tilintar. Em geral, guardam-no na sacola de chá e açúcar que todo mendigo carrega consigo, ou entre seus documentos, que são considerados sagrados e jamais são vistoriados.

Fomos levados para o albergue por um funcionário conhecido como o comandante dos mendigos, cujo trabalho é supervisionar os abrigados ocasionais e, em geral, ele é um morador do asilo. Havia também um porteiro brutal, de uniforme azul, que nos tratava como gado. O albergue consistia simplesmente de um banheiro e um lavatório e, quanto ao resto, eram dois corredores compridos de celas de pedra nos dois lados, talvez umas cem celas ao todo. Era um lugar revestido de pedras e caiado, vazio e sombrio, limpo de má vontade, com um cheiro que, de algum modo, eu pressentira por seu aspecto: um cheiro de sabão pastoso, desinfetante e latrinas, um cheiro frio, desencorajador, de prisão.

O porteiro nos levou para o corredor e depois disse para entrarmos no banheiro de seis em seis, para sermos revistados antes do banho. A busca era por dinheiro e cigarros, pois Romton é um daqueles albergues em que você pode fumar, desde que consiga entrar com os cigarros escondidos, mas serão confiscados se forem encontrados. O operário velho nos contara que o porteiro jamais revistava abaixo do joelho; então, antes de entrar, escondemos os cigarros nos canos de nossas botas. Depois, enquanto nos despíamos, os escondemos no casaco, com o qual tínhamos permissão para ficar, para usar como travesseiro.

A imagem do banheiro era terrivelmente asquerosa. Cinquenta homens sujos e completamente nus acotovelavam-se em um recinto de seis metros quadrados, com apenas duas banheiras e duas toalhas de correr para todos. Jamais esquecerei o fedor de pés imundos. Na verdade, menos da metade dos mendigos tomava banho (eu os ouvi dizer que água quente "enfraquecia" o corpo), mas todos lavavam os rostos e os pés, e os panos horríveis e gordurosos que amarravam nos dedos dos pés, conhecidos como "trapos de dedos". Água limpa só era permitida para quem tomasse banho completo, e assim muitos homens tinham de lavar o rosto na água em que outros haviam lavado os pés. O porteiro nos empurrava para lá e para cá e soltava os cachorros quando alguém desperdiçava tempo.

Quando chegou minha vez, perguntei se podia esvaziar a banheira, que estava cheia de marcas de sujeira, antes de usá-la. Ele respondeu simplesmente:

– Cala a p*** da sua boca e trata de tomar seu banho!

Aquilo deu o tom social do lugar, e não falei mais.

Depois que terminamos o banho, o porteiro amarrou nossas roupas em trouxas e nos deu as camisas do asilo: coisas feitas de algodão cinza, de limpeza duvidosa, parecidas com camisolas curtas. Fomos logo mandados para as celas e pouco depois o porteiro e o comandante dos mendigos trouxeram nosso jantar. A ração individual era um pedaço de duzentos gramas de pão com margarina e meio litro de chocolate amargo sem açúcar em um bule de lata. Sentados no chão, devoramos tudo em cinco minutos e, por volta das sete horas, as portas das celas foram trancadas por fora, e assim ficariam até as oito da manhã seguinte.

Cada homem tinha permissão para dormir com seu parceiro, pois as celas eram feitas para abrigar uma dupla. Eu não tinha parceiro e fui posto com outro solitário, um sujeito magro, de rosto raquítico e levemente vesgo. A cela media 2,5 metros por 1,5 e 2,5 metros de altura, era feita de pedra e tinha uma janela minúscula com grades no alto da parede, e uma espreitadeira na porta, exatamente como uma cela de prisão. Nela havia seis cobertores, um urinol, um cano de água quente e nada mais. Olhei em volta com a vaga sensação de que faltava alguma coisa. Então, com um choque de surpresa, me dei conta do que era, e perguntei:

– Mas, diacho, onde estão as camas?

– Camas?, disse o outro, surpreso. Aqui não tem camas! O que você esperava? Este é um daqueles albergues em que você dorme no chão. Cacete! Você ainda não se acostumou com isso?

Parece que a ausência de camas era uma coisa normal nos albergues. Enrolamos nossos casacos, os encostamos contra o cano de água quente e procuramos nos deitar do jeito mais confortável possível. Ficou muito abafado, mas não suficientemente quente para que pudéssemos utilizar todos os cobertores como forro, e assim tivemos de usar apenas um para amaciar o chão. Deitamos a trinta centímetros de distância, respirando um no rosto do outro, com nossos braços nus se tocando constantemente e rolando um contra o outro sempre que adormecíamos. Remexíamos para lá e para cá, mas não adiantava muito: para qualquer lado que nos virássemos, logo sentíamos um torpor impreciso, seguido de uma dor aguda, pois a dureza do chão passava através do cobertor. Era possível dormir, mas por não mais de dez minutos por vez.

Por volta da meia-noite, o outro sujeito iniciou investidas homossexuais contra mim – uma experiência detestável num cômodo trancado e escuro como breu. Ele era fraco e pude controlá-lo com facilidade, mas é claro que foi impossível voltar a dormir. Ficamos acordados o resto da noite, fumando e conversando. O sujeito contou-me a história de sua vida. Trabalhava com manutenção e conserto de máquinas, mas estava desempregado havia três anos. Disse que a esposa o havia abandonado quando ele perdera o emprego e estava há tanto tempo longe das mulheres que quase havia esquecido como elas eram. A homossexualidade é comum entre os mendigos de longa data, disse ele.

Às oito, o porteiro percorreu o corredor destravando as portas e gritando:

– Todo mundo para fora!

As portas se abriram, espalhando um cheiro fétido, podre. Logo o corredor se encheu de figuras esquálidas, de camisola cinzenta, urinol na mão, brigando para chegar ao banheiro. Parece que de manhã só permitiam o uso de uma banheira de água para todos e, quando cheguei, vinte mendigos já haviam lavado o rosto. Dei uma olhada para aquela espuma preta que flutuava na água e saí sem me lavar. Depois disso, deram-nos um desjejum idêntico ao jantar da noite anterior, devolveram nossas roupas e nos mandaram para o pátio trabalhar. O trabalho era descascar batatas para o jantar dos moradores do asilo, mas era mera formalidade para nos manter ocupados até o médico chegar para nos examinar. A maioria dos mendigos ficou descaradamente sem fazer nada. O médico apareceu por volta das dez, e nos mandaram de volta para as celas, a fim de que nos despíssemos e esperássemos no corredor pela inspeção.

Pelados e tremendo de frio, nos enfileiramos no corredor. É impossível imaginar que vira-latas degenerados e arruinados parecíamos, ali de pé, sob a luz implacável da manhã.

As roupas de um mendigo são ruins, mas elas escondem coisas muito piores. Para ver como ele realmente é, sem disfarces, é preciso vê-lo nu. Pés chatos, pançudos, peitos encovados, músculos frouxos – todo tipo de deterioração física estava ali. Quase todos estavam subnutridos e alguns claramente doentes. Dois deles usavam fundas para hérnia e, quanto à múmia de 75 anos, era de se perguntar como ele conseguia fazer sua caminhada diária. Olhando para nossos rostos, com a barba por fazer e amarrotados pela noite sem dormir, parecia que estávamos nos recuperando de uma semana de bebedeira.

A vistoria era para detectar varíola e não dava atenção para nosso estado geral. Um jovem estudante de medicina, fumando um cigarro, percorreu rapidamente a fileira, dando uma olhada em nós de alto a baixo, sem perguntar se alguém estava bem ou doente. Quando meu companheiro de cela se despiu, notei que seu peito estava coberto de erupções vermelhas e, tendo passado a noite a alguns centímetros dele, entrei em pânico achando que fosse varíola. Porém o médico examinou as erupções e disse que se deviam apenas à subnutrição.

Após o exame médico, nos vestimos e fomos mandados para o pátio, onde o porteiro nos chamou pelo nome, nos devolveu os pertences que havíamos deixado na administração e distribuiu vales de refeição. Eram no valor de seis pence cada um e destinavam-se aos cafés do itinerário que havíamos informado na noite anterior. Foi interessante ver que um bom número de mendigos não sabia ler e teve de pedir a mim ou a outros "doutores" que decifrássemos seus vales.

Quando abriram os portões nos dispersamos imediatamente. Como cheira bem o ar, até mesmo o de um beco de subúrbio, depois da catinga fechada e fedida do albergue! Eu tinha um parceiro agora, pois enquanto descascávamos batatas fiz amizade com um mendigo irlandês chamado Paddy Jaques, um sujeito pálido e melancólico que parecia limpo e decente. Ele ia para o albergue de Edbury e sugeriu que fôssemos juntos. Partimos, e chegamos lá às três da tarde. Era uma caminhada de 7,5 quilômetros, mas a fizemos em quase nove porque nos perdemos nos bairros desolados e miseráveis do norte de Londres. Nossos vales de refeição destinavam-se a um café em Ilford. Quando lá chegamos, a pirralha da atendente, tendo visto nossos vales e percebido que éramos mendigos, atirou a cabeça para trás com desdém e demorou muito tempo para nos servir. Por fim, jogou na mesa dois "chás grandes" e quatro fatias de pão e gordura derretida de carne, ou seja, o equivalente a oito pence de comida. Parece que o café costumava lesar os mendigos em dois pence por vale. Tendo vales, em vez de dinheiro, os mendigos não podiam protestar ou ir a outro lugar.

Capítulo 28

"COMIDA ATÉ QUE SUA MENTE E SEU CORPO PASSARAM A SE CONSTITUIR DE MATÉRIA INFERIOR. FOI A SUBNUTRIÇÃO, E NÃO UM VÍCIO INATO QUALQUER, QUE ACABARA COM ELE."

Nos quinze dias seguintes Paddy foi meu parceiro. Como foi o primeiro mendigo que conheci realmente bem, vou descrevê-lo.

Creio que era um mendigo típico, e como ele há dezenas de milhares na Inglaterra. Era alto, mais ou menos 35 anos, com cabelos claros já ficando grisalhos e olhos azul-pálidos. Seus traços eram agradáveis, mas o rosto havia encovado e tinha aquela aparência cinzenta e suja que vem da dieta de pão com margarina. Vestia-se melhor a maioria dos mendigos, usava uma jaqueta de tweed, dessas de caçador, e velhas calças de um traje a rigor que ainda ostentavam o galão. O galão se configurava em sua mente como um resto de respeitabilidade, e ele tomava o cuidado de costurá-lo de novo quando se soltava. Era cuidadoso com a aparência e andava com uma navalha e uma escova de sapatos que não venderia, embora havia muito tempo tivesse vendido seus documentos e até seu canivete. Não obstante, qualquer um o identificaria como um mendigo a uma quadra de distância. Havia alguma coisa essencialmente abjeta em seu estilo arrastado de caminhar e no modo de curvar os ombros para a frente. Ao vê-lo caminhar, sentia-se instintivamente que ele preferiria levar um soco a dar um.

Foi criado na Irlanda, servira dois anos na guerra e depois trabalhara numa fábrica de polimento de metais, da qual fora demitido havia dois anos. Tinha uma vergonha terrível de ser mendigo, mas havia adquirido todos os modos de um deles. Não tirava os olhos da calçada e não deixava passar um bituca, nem mesmo um maço vazio, pois usava o papel de seda para enrolar cigarros.

Contou que a caminho de Edbury, ele viu um embrulho de jornal na calçada, saltou sobre ele e descobriu que continha dois sanduíches de carne de carneiro, um pouco comidos nas bordas. Insistiu em dividi-los comigo. Jamais passava por uma máquina automática sem dar um puxão na manivela, pois dizia que, às vezes, elas estão com defeito e ejetam moedas com o puxão. Porém não tinha estômago para o crime. Quando estávamos nos arredores de Romton, Paddy viu uma garrafa de leite no degrau de uma porta, ali deixada evidentemente por engano. Ele parou e olhou para a garrafa com água na boca.

— Meu Deus, disse, ali está uma boa comida que vai se estragar. Alguém podia furtar essa garrafa, hein? Ia ser fácil.

Percebi que ele mesmo estava pensando em furtar. Olhou para um lado, para o outro: era uma rua residencial tranquila e não havia ninguém à vista. O rosto doentio e desanimado de Paddy ansiava pelo leite. Então ele deu as costas e disse com tristeza:

— Melhor deixar. Não faz bem para um homem roubar. Graças a Deus, nunca roubei nada até agora.

Era o medo, produto da fome, que o mantinha virtuoso. Com apenas duas ou três boas refeições na barriga, teria encontrado coragem para furtar o leite. Tinha dois temas de conversa: a vergonha e ruína de ser mendigo e a melhor maneira de conseguir uma refeição de graça. Enquanto vagávamos pelas ruas, ele mantinha, com uma voz irlandesa lamurienta e cheia de piedade por si mesmo, um monólogo no seguinte estilo:

— Morar na rua é um inferno, né? É de cortar o coração ter de ficar nesses malditos albergues. Mas o que se pode fazer, né? Há dois meses que não como carne, e minhas botas estão ficando ruins, meu Deus! O que você acha da gente tentar uma xícara de chá num desses conventos no caminho de Edbury? Muitas vezes eles são bons para uma xícara de chá. Ah, o que é que um homem faz sem religião, hein? Já tomei chá desses conventos, e dos batistas, dos anglicanos, e de todos os tipos. Eu sou católico. Quer dizer, não me confesso faz mais de dezessete anos, mas ainda tenho meus sentimentos religiosos, entende. E os conventos são sempre bons para uma xícara de chá... etc. etc. E continuava assim o dia inteiro, quase sem parar.

Certa vez me perguntou, por exemplo, se Napoleão tinha vivido antes de Jesus Cristo ou depois. Sua ignorância era ilimitada e estarrecedora. Outra vez, quando eu estava olhando a vitrine de uma livraria, ficou muito perturbado porque um dos livros se chamava Da imitação de Cristo. Considerou isso uma blasfêmia.

— Que diabos, para que eles querem imitar Ele? — perguntou, indignado. Sabia ler, mas tinha uma espécie de repulsa pelos livros. Em nosso trajeto de Romton a Edbury, parei numa biblioteca pública e, embora Paddy não quisesse ler, sugeri que entrasse e descansasse as pernas. Mas ele preferiu esperar na calçada, dizendo:

— Não, a visão de todos aqueles malditos livros me deixa doente.

Como a maioria dos mendigos, era absurdamente mesquinho com fósforos. Tinha uma caixa de fósforos quando o conheci, mas nunca o vi usá-la, e costumava me passar um sermão quando eu acendia um dos meus. Seu método era filar fogo de estranhos e, às vezes, preferia ficar meia hora sem fumar a riscar um fósforo dos seus.

A chave do seu caráter era a autopiedade. A ideia de que tinha má sorte parecia não largá-lo um só instante. Rompia longos silêncios para exclamar, a propósito de nada:

— É um inferno quando nossas roupas começam a ir para o prego, né?

Outra reclamação:

— Aquele chá do albergue não é chá, é mijo.

Para ele parecia que não havia nada mais no mundo em que pensar. E ele tinha uma inveja mesquinha e desprezível de qualquer um que estivesse em melhor situação — não dos ricos, pois estavam fora de seu horizonte social, mas dos trabalhadores. Ansiava por trabalho como um artista anseia por ser famoso. Se via um velho trabalhando, dizia com amargura:

— Olha aquele velho... tirando o trabalho de homens capazes.

— São esses diabinhos que estão tirando o pão da nossa boca! — dizia quando era garoto.

Para ele todos os estrangeiros eram "uns malditos latinos". De acordo com sua teoria, os estrangeiros eram responsáveis pelo desemprego

Olhava para as mulheres com uma mistura de desejo e rancor. As mulheres jovens e bonitas estavam muito acima dele para que pensasse nelas, mas ficava com água na boca diante das prostitutas. Bastava que um par de criaturas velhas de lábios pintados de vermelho passasse para que o rosto de Paddy ficasse rosado e ele se voltasse para lançar-lhes um olhar esfomeado.

— Gostosura! — sussurrava, como um menino diante da vitrine de uma confeitaria.

Uma vez, contou-me que fazia dois anos que não tinha contato com mulheres — desde que perdera o emprego — e havia esquecido que se podia almejar algo mais do que prostitutas. Tinha o caráter típico de um mendigo: abjeto, invejoso, o caráter de um sabujo.

Não obstante, era um bom sujeito, generoso por natureza e capaz de partilhar seu último pedaço de pão com um amigo. Com efeito, ele literalmente dividiu comigo seu último pedaço de pão mais de uma vez. Se tivesse sido bem alimentado por alguns meses, estaria provavelmente apto para o trabalho. Mas dois anos a pão e margarina baixaram muito o seu nível. Havia vivido dessa reles imitação de comida até que sua mente e seu corpo passaram a se constituir de matéria inferior. Foi a subnutrição, e não um vício inato qualquer, que acabara com ele.

NA PIOR EM PARIS E LONDRES

Capítulo 29

"O alojamento era um grande sótão, semelhante a uma caserna, com sessenta ou setenta camas. Eram limpas e toleravelmente confortáveis, mas muito estreitas e próximas demais umas das outras, de tal forma que se respirava direto na cara do vizinho."

Contei a Paddy que tinha um amigo que, com certeza, me emprestaria dinheiro, e sugeri irmos direto a Londres, em vez de encarar outra noite no albergue. Mas Paddy não estivera no albergue de Edbury recentemente, e, como bom mendigo que era, não queria perder um pernoite gratuito. Combinamos de ir a Londres na manhã seguinte. Eu tinha apenas meio pence, mas Paddy tinha dois xelins, o que nos garantiria uma cama para cada um e algumas xícaras de chá.

O albergue de Edbury não era muito diferente do de Romton. Sua pior característica era que todo o fumo era confiscado no portão e nos advertiam que quem fosse apanhado fumando seria posto na rua na mesma hora. Segundo a Lei da Vadiagem, os mendigos podem ser processados por fumar no albergue; na verdade, eles podem ser processados por quase tudo, mas as autoridades geralmente se poupam da complicação de um processo mandando os desobedientes para a rua. Não havia trabalho a fazer e as celas eram razoavelmente confortáveis. Dormíamos dois em cada cela, "um em cima, o outro embaixo" – isto é, um numa prateleira de madeira e o outro no chão, com colchões de palha e muitos cobertores sujos, mas não repugnantes. A comida era a mesma de Romton, exceto que serviam chá, em vez de chocolate. De manhã, era possível obter um pouco de chá a mais, pois o comandante dos Mendigos vendia a caneca por meio pêni, por baixo do pano. Deram-nos um pedaço de pão e queijo para levarmos para nosso almoço.

Quando chegamos a Londres, ainda faltavam oito horas para que as hospedarias abrissem. É curioso como não percebemos as coisas. Eu estivera em Londres inúmeras vezes, e até então não havia notado uma das piores coisas da cidade, de que é preciso pagar até para sentar. Em Paris, se você não tem dinheiro e não encontra um banco de jardim, pode sentar na calçada. Em Londres, só Deus sabe o que pode acontecer se alguém sentar na calçada: prisão, provavelmente. Às quatro, já estávamos em pé havia cinco horas e nossos pés ardiam como brasa sobre a dureza do calçamento. Sentíamos fome, pois havíamos comido nossas rações assim que deixamos o albergue, e eu estava sem cigarros, o que não era problema para Paddy, que apanhava bitucas do chão. Tentamos duas igrejas, mas estavam fechadas. Então experimentamos uma biblioteca pública, mas não havia onde sentar. Como última esperança, Paddy sugeriu tentar o abrigo Rowton. Pelo regulamento, não nos admitiriam antes das sete, mas talvez conseguíssemos entrar na moita. Caminhamos até a magnífica entrada (os abrigos Rowton são realmente magníficos) e, com ar despreocupado, tentando parecer hóspedes habituais, fomos entrando. No mesmo instante, um sujeito que estava à entrada, de olhar vigilante, evidentemente em certa posição de autoridade, nos barrou.

— Vocês dormiram aqui na noite passada?
— Não.
— Então, caiam fora.

Obedecemos e esperamos mais duas horas em pé na esquina. Era desagradável, mas com a situação aprendi a nunca mais usar a expressão "vagabundo de esquina". Foi o que ganhei com essa experiência.

Às seis, fomos para um abrigo do Exército de Salvação. Não podíamos fazer reservas antes das oito e não era certo que haveria vaga, mas um funcionário, que nos chamou de "Irmão", nos deixou entrar desde que pagássemos duas xícaras de chá. O salão principal do abrigo era uma espécie de grande celeiro caiado, opressivamente limpo e sem móveis, nem lareira. Duzentas pessoas com aspecto decente e um tanto submisso comprimiam-se em dois longos bancos de madeira. Um ou dois oficiais uniformizados faziam rondas. Na parede, havia retratos do general Booth e avisos que proibiam cozinhar, beber, cuspir, praguejar, discutir e jogar. Eis um que copiei palavra por palavra:

Quem for encontrado apostando ou jogando cartas será expulso e não será mais admitido sob nenhuma hipótese.

Será oferecida uma recompensa a quem der informações que levem à descoberta de tais pessoas.

Os oficiais encarregados apelam a todos os hóspedes que os ajudem a manter esta hospedaria livre do detestável mal do jogo.

"Apostando ou jogando cartas" é uma frase deliciosa.

Esses abrigos do Exército de Salvação, embora limpos, são muito mais tristes do que a pior hospedaria comum. Há neles algumas pessoas com uma enorme desesperança – tipos decentes, alquebrados, que já empenharam seus colarinhos, mas ainda procuram empregos em escritório.

Ir ao abrigo do Exército de Salvação, que pelo menos é um lugar limpo, é sua última tentativa de se agarrar a algo respeitável. Na mesa ao lado da minha estavam dois estrangeiros, maltrapilhos, mas nitidamente finos. Jogavam xadrez verbalmente, sem nem anotar as jogadas. Um deles era cego e os ouvi dizer que vinham economizando havia muito tempo para comprar um tabuleiro, que custava meia coroa, mas ainda não haviam conseguido. Aqui e ali havia funcionários de escritório desempregados, pálidos e taciturnos. No meio de um grupo deles, um jovem alto, magro e de uma palidez cadavérica falava exaltado. Dava murros na mesa e se gabava de um jeito estranho e febril. Quando os oficiais não estavam por perto para escutar, desandava a soltar blasfêmias inacreditáveis:

– Amanhã consigo aquele emprego. Não faço parte da maldita brigada 'de joelhos' de vocês. Posso cuidar de mim mesmo. Olhem para aquele aviso de * * * ali! 'O Senhor proverá!' Um destino maldito, é o que ele tem me dado. Vocês não vão me pegar acreditando na * * * do Senhor. Deixem comigo, rapazes. Vou conseguir aquele emprego etc. etc.

Fiquei espantado com seu modo agitado, impetuoso de falar; parecia histérico, ou talvez um pouco bêbado. Uma hora depois, entrei numa saleta, separada do salão principal, destinada à leitura. Não tinha livros nem jornais e por isso poucos hóspedes a frequentavam. Quando abri a porta, vi o jovem sozinho, ajoelhado, rezando. Antes de fechar a porta de novo, tive tempo para ver seu rosto: parecia desesperado. De repente, me dei conta, pela expressão de seu rosto, de que ele estava morrendo de fome.

Oito pence era o preço do leito. Paddy e eu ficamos com cinco pence, que gastamos no bar, onde a comida era barata, embora não tanto como em algumas pensões públicas. O chá parecia ser feito com pó de chá, que imagino ter sido doado por caridade ao Exército de Salvação, embora vendessem a xícara a 3,5 pence. Era um troço abominável. Às dez horas, um soldado marchou pelo salão apitando. Todos se levantaram imediatamente.

— Para que isso?, perguntei a Paddy, espantado.

— Isso quer dizer que você tem de ir pra cama. E fica esperto pra isso também.

Obedientes como ovelhas, os duzentos homens marcharam para a cama sob o comando dos soldados.

O alojamento era um grande sótão, semelhante a uma caserna, com sessenta ou setenta camas. Eram limpas e toleravelmente confortáveis, mas muito estreitas e próximas demais umas das outras, de tal forma que se respirava direto na cara do vizinho. Dois solados dormiam no aposento para impedir que se fumasse e se conversasse depois do apagar das luzes. Paddy e eu quase não dormimos, pois perto de nós havia um sujeito com algum tipo de problema nervoso, talvez uma neurose de guerra, e gritava "Bip!" a intervalos regulares. Era um ruído alto, assustador, parecido com o apito de um pequeno motor. Nunca se sabia quando viria, e era um preventivo seguro contra o sono. Parece que Bip, como os outros o chamavam, se alojava habitualmente no abrigo e devia deixar dez ou vinte pessoas sem dormir todas as noites. Era um exemplo do tipo de coisa que nos impede de dormir o suficiente quando homens são tratados como animais, como acontece nesses abrigos.

Às sete, outro apito tocou, e os soldados passaram sacudindo os que ainda não haviam pulado da cama. Desde então, dormi em vários abrigos do Exército de Salvação e descobri que, embora haja pequenas diferenças entre eles, essa disciplina meio militar é a mesma em todos. São certamente baratos, mas parecidos demais com asilos de indigentes para o meu gosto. Em alguns deles há até um serviço religioso compulsório uma ou duas vezes por semana, ao qual os hóspedes devem comparecer, ou sair da casa. O fato é que o Exército de Salvação está tão habituado a se considerar uma instituição de caridade que não pode nem dirigir uma hospedaria sem fazê-la feder a caridade.

Às dez, fui ao escritório de B. e lhe pedi emprestada uma libra. Ele me deu duas e me disse que voltasse sempre que necessário; desse modo, Paddy e eu ficamos livres de problemas de dinheiro por ao menos uma semana. Passamos o dia vagabundeando na Trafalgar Square, à procura de um amigo de Paddy que não apareceu, e, à noite, fomos a uma hospedaria em uma ruela perto do Strand. O preço era onze pence, mas era um lugar escuro que cheirava mal e um antro conhecido de gays. No andar de baixo, na cozinha tenebrosa, três jovens de aparência ambígua, vestidos com ternos azuis elegantes, estavam sentados num banco à parte, ignorados pelos outros hóspedes. Suponho que eram gays. Tinham o mesmo tipo dos apaches de Paris, exceto que não usavam costeletas. Em frente à lareira, um homem completamente vestido e outro totalmente nu negociavam. Eram vendedores de jornal. O homem vestido estava vendendo suas roupas para o homem nu. Ele disse:

— Olha aqui, é a melhor beca que você já teve. Meia coroa pelo casaco, dois xelins pelas calças, um xelim e meio pelas botas e um xelim pelo boné e cachecol. Dá sete xelins.

— É muito! Dou um xelim e meio pelo casaco, um xelim pelas calças e dois pelo resto. Dá quatro xelins e meio.

— Leva tudo por cinco e meio, cara.

— Certo, pode tirar a roupa. Preciso sair para vender minha última edição.

O homem vestido tirou a roupa e, em três minutos, suas posições se inverteram: o homem nu estava vestido e o outro enrolado numa folha do Daily Mail.

O dormitório era escuro e fechado, com quinze camas. Havia um fedor horrível e quente de urina, tão animalesco que, de início, a gente tentava inspirar aos poucos para não encher os pulmões. Quando eu já estava deitado, um sujeito saiu da escuridão, debruçou-se sobre mim e começou a balbuciar com uma voz educada e meio bêbada:

— Ex-aluno da velha escola pública, hein? (ele me ouvira dizer alguma coisa para Paddy). Não se encontram muitos da velha escola por aqui. Eu estudei em Eton. Você sabe... vinte anos longe daquele clima e de tudo o mais.

Começou a cantarolar com voz trêmula o hino da equipe de remo, sem desafinar:
— Tempo bom para remar, E para o feno colher...
— Pare com esta m *** de barulho!, gritaram várias vozes.
— Gente ordinária", disse o velho aluno de Eton, "gente bem ordinária. Tipo engraçado de lugar este, para você e eu, hein? Sabe o que meus amigos me dizem? Dizem 'FDP, você não tem salvação'. É bem verdade, não tenho salvação. Decaí na vida, mas não como esses aí, que não teriam de onde cair, se tentassem. Nós, os colegas que caímos na vida, deveríamos nos unir mais. A juventude ainda estará em nosso rosto, entende. Posso lhe oferecer um trago?

Mostrou uma garrafa de licor de cereja e, no mesmo instante, perdeu o equilíbrio e caiu pesadamente entre minhas pernas. Paddy, que estava se despindo, o acudiu:
— Volta para sua cama, seu estúpido * * *!

O ex-aluno de Eton caminhou vacilante até sua cama e se enfiou sob os lençóis sem tirar as roupas, nem mesmo as botas. Durante a noite, várias vezes escutei-o murmurar "FDP, você não tem salvação", como se a frase o atraísse. De manhã, ainda dormia completamente vestido, com a garrafa apertada entre os braços. Era um homem de cerca de cinquenta anos, com um rosto refinado e alquebrado e, curioso, razoavelmente vestido na moda. Era esquisito ver seus bons sapatos de couro projetando-se para fora daquela cama imunda. Ocorreu-me também que o licor de cereja devia ter custado o equivalente a uma quinzena de hospedagem e, portanto, ele não deveria estar tão duro. Talvez frequentasse hospedarias em busca de gays.

As camas não ficavam a mais do que sessenta centímetros umas das outras. Por volta da meia-noite, acordei e vi que o sujeito ao meu lado tentava roubar o dinheiro embaixo do meu travesseiro. Fingia estar dormindo enquanto fazia isso, deslizando a mão sob meu travesseiro com a delicadeza de um rato. De manhã, vi que era um corcunda, com braços longos e simiescos. Contei para Paddy a tentativa de roubo. Ele riu e disse:
— Cacete! Você tem de se acostumar com isso. Essas hospedarias estão cheias de ladrões. Em algumas casas, o

mais seguro é dormir todo vestido. Já vi roubarem uma perna de pau de um aleijado. Uma vez, vi um sujeito – devia pesar uns noventa quilos – entrar numa hospedaria com quatro libras e dez. Pôs o dinheiro embaixo do colchão. 'Agora, pra pegar meu dinheiro, só por cima do meu cadáver', disse. Mas mesmo assim roubaram ele. De manhã, ele acordou no chão. Quatro caras haviam pegado o colchão pelos cantos e levantado como uma pluma. O sujeito nunca mais viu o dinheiro.

Capítulo 30

"Quando o conheci, possuía apenas as roupas do corpo, os materiais de desenho e alguns livros. As roupas eram os trapos usuais de um mendigo, mas usava colarinho e gravata, dos quais sentia orgulho."

Voltamos a procurar o amigo de Paddy na manhã seguinte. Ele se chamava Bozo e era um pintor de calçada. No mundo de Paddy não existiam endereços, mas ele tinha uma vaga ideia de que poderia encontrar o homem em Lambeth. Achamos Bozo no Embankment, onde havia se estabelecido não longe da Waterloo Bridge. Estava ajoelhado na calçada com uma caixa de giz e copiava um desenho de Winston Churchill de um caderno barato de esboços. A semelhança era boa. Bozo era um homem baixo, moreno, de nariz adunco e cabelos crespos que rareavam. Sua perna direita era terrivelmente deformada, o pé torcido com o calcanhar para a frente, de um modo horrível de se ver. A julgar por sua fisionomia, poderia ser tomado por judeu, mas costumava negar isso com veemência. Dizia que seu nariz adunco era "romano" e se orgulhava de ser parecido com um imperador romano – acho que Vespasiano.

FAlava de um jeito esquisito, meio cockney, mas muito lúcido e expressivo. Era como se tivesse lido bons livros e não ligasse para a gramática. Durante algum tempo, Paddy e eu ficamos conversando no Embankment, e Bozo nos descreveu sua atividade de artista de calçada. Repito o que ele disse, mais ou menos com suas palavras.

– Sou o que eles chamam de grafiteiro politizado. Não desenho com giz em quadro-negro, como alguns por aí, uso cores apropriadas, as mesmas dos pintores. São bem caras, especialmente os vermelhos. Uso cinco xelins de cores durante um dia de muito trabalho, e nunca menos do que dois xelins. Minha especialidade são charges, sabe, política, críquete e coisas assim. Olhe aqui, tem retrato de todos os caras da política, que copiei dos jornais. Faço um desenho diferente todos os dias. Por exemplo, quando estavam discutindo o orçamento, fiz um de Winston tentando mover um elefante com a inscrição "Dívida" e embaixo escrevi: "Será que ele vai conseguir empurrar" Entende? Posso fazer charges sobre qualquer partido, mas não posso pôr nada a favor do socialismo, porque a polícia não permite. Uma vez, desenhei uma jiboia com a inscrição "Capital" engolindo um coelho com a inscrição "Trabalho". Um policial viu e disse: '"apaga isso aí e fica esperto". Tive de apagar. O policial pode me mandar circular por vadiagem, e não é bom responder.

Perguntei a Bozo quanto que se podia ganhar desenhando na calçada.

— Nesta época do ano, quando não chove, dá umas três libras entre sexta e domingo. As pessoas recebem seu pagamento na sexta, entende. Não posso trabalhar quando chove; os desenhos logo ficam manchados. Considerando o ano todo, faço mais ou menos uma libra por semana, porque não dá para fazer muito no inverno. Em dia de regata ou de final de campeonato, já consegui até quatro libras. Mas você precisa batalhar, sabe; você não ganha nem um xelim se ficar sentado olhando para eles. Meio pence é a contribuição habitual, mas você não consegue nem isso se não puxar conversa. Depois que respondem, sentem vergonha de não dar uma moeda. A melhor coisa é mudar sempre o desenho, porque quando veem você desenhando, param para observar. O problema é que os pedintes aparecem assim que você passa o chapéu pedindo donativos. Você precisa realmente de um ajudante nesse jogo. Você fica trabalhando e consegue que um monte de gente fique olhando, e o ajudante, como quem não quer nada, vai andando por trás das pessoas. Elas não sabem que ele é o ajudante. Então, de repente, ele tira o boné e elas ficam como entre dois fogos. Você nunca consegue um donativo de um cara abonado. São os caras mais simples e os estrangeiros que contribuem. Já ganhei meio xelim de japas, negros e gente assim. Não são uns malditos sovinas como os ingleses. Outra coisa que não se deve esquecer é de manter o dinheiro escondido, deixando talvez um pence no chapéu. As pessoas não dão nada se virem que você já ganhou um ou dois xelins.

Bozo tinha o mais profundo desprezo pelos outros grafiteiros de calçada do Embankment. Chamava-os de impressores. Naquela época, havia um grafiteiro a cada 25 metros ao longo do Embankment; era a distância mínima aceita entre dois pontos. Bozo apontou com desdém para um artista velho, de barbas brancas, a uns cinquenta metros dali.

— Olha para aquele velho abobado. Ele faz o mesmo desenho todos os dias há dez anos. "Um amigo fiel", é como ele o chama. É a figura de um cachorro tirando uma criança de dentro d'água. A besta não consegue desenhar melhor do que uma criança de dez anos. Só aprendeu a fazer esse único desenho, como quem aprende a montar um quebra-cabeça. Tem um monte de gente como esse por aqui. Às vezes, eles tentam roubar minhas ideias, mas não ligo. Esses m*** não conseguem pensar em nada por si mesmos, então estou sempre na frente deles. Para fazer charges precisa estar atualizado. Certa vez, uma criança prendeu a cabeça na grade da ponte Chelsea. Logo que soube do caso meu cartum estava na calçada antes que tirassem a cabeça dela da grade. Sou rápido.

Fiquei ansioso para conhecer melhor Bozo, que parecia um homem interessante. Naquela noite, desci até o Embankment para encontrá-lo, pois ele havia combinado me levar junto com Paddy a uma hospedaria que ficava ao sul do rio. Bozo apagou suas pinturas da calçada e contou sua receita do dia: cerca de dezesseis xelins, dos quais disse que doze ou treze eram lucro. Bozo mancava lentamente, um jeito de andar parecido com o de um caranguejo, meio de lado, arrastando seu pé esmagado atrás. Carregava um bastão em cada mão e levava a caixa de tintas pendurada no ombro. Fomos até Lambeth. Quando atravessávamos a ponte, ele parou em um dos vãos para descansar. Ficou em silêncio por um ou dois minutos e, para minha surpresa, vi que olhava para as estrelas. Tocou em meu braço e apontou para o céu com o bastão.

– Veja, lá está Aldebarã! Veja só a cor. Igual a uma enorme laranja vermelha!

Parecia um crítico de arte numa galeria. Fiquei espantado. Confesso que não sabia qual era Aldebarã; com efeito, jamais havia notado que as estrelas tinham cores diferentes. Bozo começou a me dar algumas dicas elementares de astronomia, apontando para as principais constelações. Parecia preocupado com minha ignorância. Disse-lhe, surpreso:

– Você parece saber muito sobre estrelas.

– Não muito. Mas sei um pouco. Recebi duas cartas do Astrônomo Real agradecendo-me por escrever sobre meteoros. De vez em quando, saio à noite e procuro meteoros. As estrelas são um espetáculo gratuito: não custa nada usar os olhos.

— Que boa ideia! Nunca havia pensado nisso!

— Bem, a gente tem de se interessar por alguma coisa. Só porque um homem vive na rua não significa que não possa pensar em algo mais do que chá com duas fatias.

— Mas não é muito difícil se interessar por outras coisas – como estrelas – levando essa vida?

— Desenhando nas calçadas, você quer dizer? Não necessariamente. A gente não precisa virar um bicho – quer dizer, depende da sua vontade.

— Parece ter esse efeito na maioria das pessoas.

— Claro. Veja o Paddy: um velho parasita bebedor de chá, que só serve para catar bitucas. É por esse caminho que a maioria deles vai. Eu os desprezo. Mas você não precisa ficar assim. Se você tem alguma instrução, não importa se ficar na estrada o resto da vida.

— Descobri exatamente o contrário. Parece-me que quando se tira o dinheiro de um homem, ele não serve para mais nada a partir daquele momento.

— Não, nem sempre. Se você se dispõe a isto, pode levar a mesma vida, sendo rico ou pobre. Pode até continuar com seus livros e suas ideias. Só precisa dizer para si mesmo 'Eu sou um homem livre aqui – deu uma batidinha na testa – e está tudo bem.

Bozo continuou a falar nesse tom e o escutei com atenção. Ele parecia um artista de rua muito singular e, além disso, foi a primeira pessoa que ouvi afirmar que a pobreza não importava. Passei um bom tempo com ele os dias seguintes, pois várias vezes choveu e ele não pôde trabalhar. Contou-me a história de sua vida, que era bem curiosa.

Contou que é filho de um livreiro falido e começou a trabalhar como pintor de paredes aos dezoito anos e, a seguir, durante três anos da guerra serviu como soldado na França e na Índia. Após a guerra, conseguiu um emprego de pintor de paredes em Paris, onde ficou por vários anos. Gostava mais da França do que da Inglaterra (desprezava os ingleses) e estava se dando bem em Paris: conseguia economizar dinheiro e estava noivo de uma garota francesa. Um dia, a garota morreu esmagada sob as rodas de um ônibus. Bozo passou uma semana se embebedando e depois voltou ao trabalho, um tanto trêmulo. Na mesma manhã, caiu de um andaime, a doze metros de altura, reduzindo seu pé direito a uma pasta. Por algum motivo, recebeu somente sessenta libras de indenização.

Disse que voltou para a Inglaterra, gastou o dinheiro procurando emprego, tentou vender livros na feira da Middlesex Street, depois brinquedos em um tabuleiro, até, por fim, se estabelecer como artista de rua. Desde então passou a viver da mão para a boca, meio faminto durante o inverno e dormindo com frequência em um albergue do Embankment.

Quando o conheci, possuía apenas as roupas do corpo, os materiais de desenho e alguns livros. As roupas eram os trapos usuais de um mendigo, mas usava colarinho e gravata, dos quais sentia orgulho. O colarinho, que tinha um ano ou mais de uso, girava constantemente ao redor de seu pescoço, e Bozo costumava remendá-lo com pedaços da camisa, de tal modo que a camisa quase não tinha mais fralda. Sua perna doente estava ficando pior e provavelmente teria de ser amputada; seus joelhos, de tanto ele se ajoelhar nas pedras, tinham calos grossos como solas de botas. Estava claro que não havia futuro para ele senão a mendicância e a morte num asilo de indigentes.

Mesmo assim, não sentia medo nem pesar, vergonha ou autopiedade. Havia encarado sua situação e elaborado uma filosofia para si próprio. Ser mendigo, dizia, não era culpa sua, e se recusava a sentir qualquer remorso ou deixar que isso o perturbasse. Era um inimigo da sociedade e disposto a cometer um delito, se visse uma boa oportunidade. Recusava-se, por princípio, a ser econômico. No verão, não poupava nada, gastando seus ganhos extras com bebidas, já que não ligava para mulheres. Se ficasse sem dinheiro no inverno, que a sociedade cuidasse dele. Estava pronto a extrair cada tostão que pudesse da caridade, desde que não esperassem por agradecimento. Porém evitava instituições de caridade religiosas, pois dizia que não suportava cantar hinos para ganhar pãezinhos. Tinha vários outros pontos de honra; orgulhava-se, por exemplo, de jamais ter apanhado uma bagana no chão, mesmo quando passava fome. Considerava-se numa classe acima da média dos mendigos, os quais, segundo ele, eram um bando de gente abjeta que nem mesmo tinha a decência de ser ingrata.

Falava bem francês e tinha lido alguns dos romances de Zola, todas as peças de Shakespeare, As viagens de Gulliver e vários ensaios. Era capaz de descrever suas aventuras com palavras que não se esqueciam. Falando de funerais, por exemplo, me disse:

– Você já viu um cadáver ser queimado? Eu vi, na Índia. Eles puseram o camarada no fogo e, no instante seguinte, quase pulei de surpresa, porque ele começou a espernear. Eram apenas os músculos se contraindo no calor – mesmo assim, levei um susto. Bem, ele se retorceu um pouco, como arenque na brasa, e depois sua barriga explodiu com um estouro que dava para escutar a uns cinquenta metros de distância. Isso me fez francamente ficar contra a cremação.

Ou quando falou de seu acidente:

– O médico me disse: 'Você caiu sobre um pé, rapaz. E teve muita sorte de não ter caído sobre os dois. Porque se tivesse caído em cima dos dois pés, teria encolhido como uma maldita sanfona e seus fêmures iam sair pelas orelhas!.

Claro que a frase não era do médico, mas de Bozo. Ele tinha um dom para frases. Conseguira manter seu cérebro intacto e alerta e, assim, nada o fazia sucumbir à pobreza. Poderia estar esfarrapado e com frio, ou mesmo morrendo de fome, mas, desde que pudesse ler, pensar e observar meteoros, estava, como dizia, livre em sua própria mente.

Era um ateu convicto, do tipo que, mais do que não acreditar em Deus, não gosta pessoalmente Dele. Sentia certo prazer em pensar que a condição humana jamais melhoraria.

Às vezes, dizia, quando estava dormindo no Embankment, consolava-o olhar para Marte ou Júpiter e pensar que provavelmente havia gente dormindo no Embankment de lá. Tinha uma teoria curiosa sobre isso. Segundo ele, a vida na Terra é dura porque o planeta é pobre em suas necessidades da existência. Marte, com seu clima frio e escassez de água, deve ser muito mais pobre ainda e a vida, lá, igualmente mais dura. Mas enquanto na Terra você é apenas preso por roubar seis pence, em Marte provavelmente você é queimado vivo. Esse pensamento consolava Bozo, não sei por quê. Ele era um homem muito excepcional.

CAPÍTULO 31

"Era um sujeito asqueroso, como uma hiena. Descobri que, como a maioria dos vigaristas, acreditava em grande parte das próprias mentiras. A hospedaria era um refúgio para tipos assim."

A pensão onde Bozo morava custava nove pence por noite. Era um lugar grande, cheio de gente, com acomodações para quinhentos homens, e um conhecido ponto de encontro de vadios, mendigos e criminosos leves. Todas as raças, onde brancos e negros, misturavam-se ali em condições de igualdade. Havia indianos, e quando falei com um deles em um mau urdu, ele me chamou de tum, o que faria qualquer um se arrepiar, se isso tivesse acontecido na Índia. Estávamos abaixo da faixa do preconceito de cor. Podíamos observar muitas vidas curiosas. O velho "Vovô", um vagabundo de setenta anos que ganhava a vida, ou boa parte dela, recolhendo bitucas e vendendo o fumo a três pence cada trinta gramas. O "Doutor", que era realmente médico, cujo registro fora cassado por algum delito e que, além de vender jornais, dava consultas médicas a preço muito baixo. Um lascar de Chittagong, baixo, descalço e morto de fome, que havia desertado de seu navio e perambulara durante dias por Londres, tão confuso e desamparado que nem sabia o nome da cidade em que estava – achava que era Liverpool, até que lhe contei. Um redator de cartas de mendicância, amigo de Bozo, que escrevera apelos patéticos pedindo ajuda para pagar o enterro de sua mulher e que, quando uma das cartas surtira efeito, se empanturrara sozinho com grandes quantidades de pão e margarina. Era um sujeito asqueroso, como uma hiena. Descobri que, como a maioria dos vigaristas, acreditava em grande parte das próprias mentiras. A hospedaria era um refúgio para tipos assim.

Aprendi um pouco sobre técnica da mendicância londrina com Bozo. Ela é muito mais complexa do que se poderia supor. Os mendigos variam muito e há uma nítida divisão social entre aqueles que simplesmente pedem esmolas e os que tentam oferecer algo em troca do dinheiro. Também variam as quantias que podem ser ganhas com os diferentes bicos. As histórias publicadas nos jornais dominicais de mendigos que morrem com 2 mil libras costuradas na calça são evidentemente mentira, mas os mendigos de nível melhor têm períodos de sorte, quando ganham de uma vez o sustento de semanas. Os mais prósperos são os acrobatas e os fotógrafos de rua. Num ponto bom – uma fila de teatro, por exemplo – um acrobata chega a ganhar cinco libras por semana. Os fotógrafos de rua podem ganhar mais ou menos a mesma coisa, mas dependem do tempo bom. Usam uma artimanha engenhosa para estimular o negócio. Quando veem uma provável vítima se aproximando, um deles corre para detrás da câmera e finge tirar uma fotografia. Então, quando a vítima chega perto, exclama:

– Aí está, senhor, bati uma bela foto sua. Custa um xelim.

– Mas não pedi para tirar fotografia nenhuma! – protesta a vítima.

– O quê, não pediu? Ora, pensei que o senhor tivesse feito um sinal com a mão. Bem, uma chapa perdida! Seis pence jogados fora, que fazer.

Diante disso, a vítima geralmente fica com pena e diz que levará a foto. O fotógrafo examina a chapa e diz que estragou, e que vai tirar outra sem cobrar. É claro que não havia realmente batido a primeira e, assim, se a vítima recusa a oferta, não perde nada.

Os tocadores de instrumentos musicais e acrobatas, são considerados mais artistas do que mendigos. Um deles, chamado de Baixinho, amigo de Bozo, contou-me tudo sobre sua atividade. Ele e seu parceiro "trabalhavam" os cafés e pubs situados nas imediações de Whitechapel e da Commercial Road. É um erro achar que os tocadores de realejo fazem a vida nas ruas; nove décimos do que ganham são obtidos em cafés e pubs – apenas os mais baratos, pois não têm permissão para entrar nos de mais classe. Tática do Baixinho era parar na frente de um pub e tocar uma canção; então seu parceiro, que tinha uma perna de pau e podia provocar compaixão, entrava e passava o chapéu. Era uma questão de honra para o Baixinho tocar sempre outra canção depois de receber a esmola, uma espécie de bis. Por trás disso estava a ideia de que era realmente um artista e não era pago simplesmente para ir embora. Ele e seu parceiro ganham duas ou três libras por semana, mas como tinham de pagar quinze xelins pelo aluguel do realejo, tiravam apenas uma libra por semana, em média, cada um. Ficavam nas ruas das oito da manhã às dez da noite, e até mais tarde aos sábados.

Os grafiteiros de calçada às vezes podem ser chamados de artistas, às vezes não. Bozo me apresentou a um que era um verdadeiro artista – isto é, havia estudado arte em Paris e, na sua época, submetido obras à apreciação do Salão. Sua linha de trabalho era copiar os Mestres Antigos, o que fazia maravilhosamente bem, levando-se em conta que desenhava na pedra. Ele me contou como se tornara um grafiteiro.

– Minha esposa e as crianças estavam passando fome. Um dia eu voltava tarde da noite para casa, com um monte de desenhos que havia mostrado aos negociantes de arte, e me perguntava o que fazer para conseguir um ou dois xelins. Então, no Strand, vi um sujeito desenhando ajoelhado na calçada, e as pessoas lhe davam moedas. Quando me aproximei, ele se levantou e foi para um pub. Diabos, pensei, se ele pode ganhar dinheiro com isso, eu também posso. Assim, num impulso, ajoelhei-me e comecei a desenhar com os pedaços de giz dele. Deus sabe como cheguei a fazer isso; eu devia estar delirando de fome. O curioso é que eu nunca havia usado giz antes. Tive de aprender a técnica enquanto desenhava. Bem, as pessoas começaram a parar e dizer que meu desenho não estava ruim e, no total, consegui nove pence. Nesse momento, o outro sujeito saiu do pub. 'O que... você está fazendo no meu ponto?', perguntou. Expliquei que estava com fome e precisava ganhar algum dinheiro. 'Ah, venha beber comigo', disse. Assim, fui beber com ele e, desde aquele dia, virei um grafiteiro de calçada. Faço uma libra por semana. Não dá para sustentar seis filhos com uma libra por semana, mas, felizmente, minha mulher ganha uns trocados costurando para fora.

– A pior coisa nessa vida é o frio e a segunda pior são as interferências que se é obrigado a aguentar no trabalho. No começo, sem muita experiência, às vezes eu copiava um nu na calçada. O primeiro que fiz foi diante da igreja de St. Martin's-in-theFields. Um sujeito de preto – suponho que era um operário ou algo assim – veio furioso e berrou: 'Você acha que podemos ter essa obscenidade em frente à sagrada casa de Deus?'. Então tive de apagar. Era uma cópia da Vênus de Botticelli. Outra vez, copiei o mesmo quadro no Embankment. Um policial que passava olhou o desenho e então, sem dizer uma palavra, pisou em cima e o apagou com seus grandes coturnos.

Bozo repetiu a mesma história sobre policial. No período em que eu estava com ele, houve um caso de "conduta imoral" no Hyde Park, no qual a polícia se comportou muito mal. Bozo fez um cartum do Hyde Park com policiais ocultos nas árvores e a legenda: "Quebra-cabeça: ache os policiais". Mostrei-lhe que seria mais eficaz se escrevesse "Quebra-cabeça: ache a conduta imoral", mas Bozo não me deu ouvidos. Disse que se algum policial visse aquilo, o mandaria circular e ele perderia seu ponto para sempre.

Depois dos grafiteiros de calçada vêm as pessoas que cantam hinos ou vendem fósforos, cadarços ou envelopes contendo algumas sementes de lavanda – chamada eufemisticamente de perfume. Todas essas pessoas são declaradamente mendigos que exploram uma aparência de miséria, e nenhuma delas ganha, em média, mais do que meia coroa por dia. O motivo pelo qual precisam fingir que vendem fósforos e outras coisas, em vez de mendigar abertamente, é que isso é exigido pela absurda lei inglesa sobre mendicância. De acordo com a lei vigente, se você se aproximar de um estranho e lhe pedir dois pence, ele pode chamar a polícia e você pega sete dias de prisão por mendicância. Mas se você tornar o ar insuportável engrolando um "Mais perto, meu Deus, de Vós", ou rabiscando alguns borrões de giz na calçada, ou andando com um tabuleiro de fósforos – em suma, se você se transformar numa amolação –, então vão considerar que você exerce uma atividade legítima e que não está mendigando. Vender fósforos e cantar na rua são simplesmente delitos legalizados. Porém não são delitos lucrativos: não há um único cantor ou vendedor de fósforos em Londres que tenha certeza de que vai ganhar cinquenta libras por ano – uma renda baixa para quem fica 84 horas por semana no meio-fio, com os carros passando rente a suas costas.

Aprendi sobre a posição social que os mendigos ocupam, pois quando se convive com eles e se descobre que são seres humanos comuns, não se pode deixar de ficar admirado com a curiosa atitude da sociedade com relação a eles. As pessoas parecem achar que existe uma diferença essencial entre mendigos e "trabalhadores" comuns. Acham que eles constituem uma raça à parte: a dos vagabundos, como os criminosos e as prostitutas. Os trabalhadores "trabalham", os mendigos não "trabalham"; são parasitas, inúteis por natureza. Dá-se por certo que um mendigo não ganha a vida do modo como um pedreiro ou um crítico literário ganham as suas. Ele não passa de uma excrescência social, só tolerada porque vivemos numa época humana, mas ele é essencialmente desprezível.

E se olhar de perto, vemos que não há uma diferença essencial entre o modo de vida de um mendigo e o de muita gente respeitável. Os mendigos não trabalham, diz-se. Mas, então, o que é trabalho? Um operário braçal trabalha brandindo uma picareta. Um contador trabalha somando números. Um mendigo trabalha ficando ao relento em qualquer tempo, ganhando varizes, bronquite crônica etc. É um ofício como outro qualquer, bastante inútil, é verdade – mas muitos ofícios respeitáveis também são inúteis. E, como tipo social, o mendigo se sai bem na comparação com muitos outros. Ele é honesto, se comparado com os vendedores da maioria dos medicamentos patenteados; de altos princípios, se comparado com o dono de um jornal dominical; amável, se comparado com um comerciante que vende a crédito com preços extorsivos. Em resumo, é um parasita, mas um parasita razoavelmente inofensivo.

Eles dificilmente tiram da sociedade mais do que uma vida indigente, e paga por isso com um sofrimento incessante, o que poderia justificá-lo, de acordo com nossos padrões éticos. Não creio que exista algo num mendigo que o coloque numa categoria diferente da das outras pessoas ou que dê à maioria dos homens modernos o direito de desprezá-lo.

Vem a pergunta: por que os mendigos são desprezados? E são universalmente. Deve ser pela simples razão de que não conseguem ganhar o suficiente para levar uma vida decente. Na prática, ninguém se importa se o trabalho é útil ou inútil, produtivo ou parasita; a única exigência é que seja lucrativo. Afinal, em toda a conversa moderna sobre energia, eficiência, serviço social e coisas assim, o sentido não é senão "ganhe dinheiro, ganhe-o legalmente e ganhe muito"? O dinheiro se transformou na grande prova de virtude. Nessa prova, os mendigos são reprovados e, por isso, são desprezados. Se fosse possível ganhar dez libras por semana mendigando, a mendicância se tornaria uma profissão respeitável. Analisado de forma realista, um mendigo é apenas um homem de negócios que ganha a vida do jeito que dá, como outros homens de negócios. Não vendeu sua honra – não mais do que a maioria das pessoas modernas. Ele apenas errou quando optou por um negócio em que é impossível ficar rico.

Capítulo 32

"Outra coisa curiosa sobre uso de palavrões em Londres: os homens não costumam dizê-los na frente das mulheres. Em Paris, é bem diferente."

Vejam alguns termos das ruas de Londres, que não são muito conhecidos.

Gagger: mendigo ou artista de rua de qualquer tipo.
Moocher: aquele que mendiga abertamente, sem fingir.
Nobber: o que coleta as moedas para o mendigo.
Chanter: cantor de rua.
Clodhopper: dançarino de rua.
Mugfaker: fotógrafo de rua, lambe-lambe.
Glimmer: guardador de carros, flanelinha.
Gee (ou jee, como é pronunciado): parceiro do camelô que estimula as vendas fingindo comprar alguma coisa.
Split: detetive.
Flattie: policial, tira.
Didecai: cigano.
Toby: vadio, vagabundo.
Drop: dinheiro dado a um mendigo.
Funkum: lavanda ou outro perfume vendido em envelopes.
Boozer: pub, bar.
Slang: licença de ambulante.
Kip: alojamento noturno.
Smoke: Londres.
Judy: mulher.
Spike: albergue para indigentes de passagem.
Lump: o mesmo que spike.
Tosheroon: meia coroa.
Deaner: um xelim.
Hog: um xelim.
Sprowsie: seis pence, meio xelim.
Clods: moedas de cobre de baixo valor.
Drum: lata que serve de bule.
Shackles: sopa.
Chat: piolho.
Hard-up: cigarro feito de baganas.
Stick ou cane: pé de cabra de ladrão.
Peter: cofre.
Bly: maçarico de oxiacetileno.
Bawl: sorver ou engolir.
Knock off: roubar.
Skipper: dormir ao relento.

Metade dessas palavras está nos dicionários maiores. É interessante tentar adivinhar a origem de algumas delas, embora uma ou duas – por exemplo, funkum e tosheroon – estejam acima de qualquer adivinhação. Deaner vem presumivelmente de denier [denário, moeda antiga]. Glimmer (e o verbo to glim) talvez tenha algo a ver com a velha palavra glim, que significava uma luz, ou outro termo antigo glim, que significava lampejo; mas é um exemplo da formação de palavras novas, pois em seu sentido atual não pode ser mais antiga do que os automóveis. Gee é uma palavra curiosa; pode-se imaginar que veio da gíria gee para cavalo, no sentido de stalking-horse [cavalo atrás do qual o caçador se esconde]. A origem de screever é misteriosa; em última análise, deve vir de scribo, mas não se encontra palavra similar em inglês nos últimos 150 anos. Tampouco pode ter vindo diretamente do francês, pois não há artistas de rua na França. Judy e bawl são palavras da zona leste londrina, desconhecidas a oeste da Tower Bridge. Smoke é termo usado apenas por vagabundos. Kip é dinamarquês. Até recentemente, a palavra doss era usada nesse sentido, mas agora está quase obsoleta.

O vocabulário das ruas de Londres parece mudar com rapidez. O velho sotaque londrino, descrito por Dickens e Surtees, com o v no lugar do w, e vice-versa, e assim por diante, desapareceu totalmente. O sotaque cockney tal como o conhecemos parece ter surgido na década de 1840 (é mencionado pela primeira vez no romance americano White jacket, de Herman Melville) e já está mudando. Hoje, existem poucas pessoas que falam fice em vez de face, nawce em lugar de nice, e assim por diante, como costumavam fazer há vinte anos. A gíria muda com o sotaque. Há 25 ou trinta anos, por exemplo, a "gíria de rimas" estava na moda em Londres; qualquer coisa recebia um nome que rimasse com ela: hit ou miss no lugar de kiss, plates of meat em vez de feet etc. Talvez todas as palavras que mencionei acima terão desaparecido daqui a vinte anos.

Até os palavrões também mudam – ou, ao menos, estão sujeitos a modismos. Por exemplo, há vinte anos, as classes trabalhadoras londrinas usavam habitualmente a palavra bloody. Agora, abandonaram-na por completo, embora os romancistas ainda empreguem esse termo para representá-las. Nenhum londrino nativo (é diferente com as pessoas de origem escocesa ou irlandesa) fala bloody hoje em dia, a não ser que seja pessoa de certa instrução. De fato, essa palavra subiu na escala social e deixou de ser um palavrão adotado pela classe operária. O adjetivo londrino atual, anexado a qualquer substantivo, é fucking. Sem dúvida, dentro de algum tempo, fucking, tal como bloody, vai passar para a sala de visitas e será substituído por outra palavra.

O problema dos palavrões é um mistério. Pronunciar palavrões é tão irracional quanto mágico – com efeito, é uma espécie de magia, por sua própria natureza. Há também um paradoxo nisso: nossa intenção ao dizer um palavrão é chocar e ofender, o que fazemos mencionando algo que deveria ficar em segredo – usualmente, algo que tenha a ver com as funções sexuais. Mas o estranho é que, quando um termo está bem estabelecido como palavrão, ele parece perder seu sentido original, isto é, perde aquilo que o transformou em palavrão. Uma palavra se torna um palavrão porque significa determinada coisa e, ao tornar-se um palavrão, perde seu significado original. Por exemplo, fuck. Atualmente, os londrinos não usam esse termo – ou o usam muito raramente – no sentido original; está nos lábios deles da manhã à noite, mas é um mero expletivo que nada significa. A palavra bougre também é usada ocasionalmente em Paris, mas as pessoas que a utilizam, ou a maioria, não têm ideia de seu significado original. A regra parece ser que os termos aceitos como palavrões possuem algum caráter mágico que os coloca à parte e os inutiliza para a conversa comum.

Os termos empregados para insultar parecem orientados pelo mesmo paradoxo dos palavrões. Imaginamos que um termo se torna um insulto por significar algo ruim. Na prática, porém, seu valor de insulto tem pouco a ver com seu significado verdadeiro. Por exemplo, o pior insulto que se pode fazer a um londrino é chamá-lo de "bastardo", que, levando-se em conta o que significa, dificilmente é um insulto. E o pior insulto a uma mulher, seja em Londres, seja em Paris, é "vaca", palavra que até poderia ser um elogio, pois as vacas estão entre os animais mais simpáticos. Evidentemente, uma palavra é um insulto apenas porque é dita como um insulto, sem referência ao seu significado dicionarizado. As palavras, especialmente os palavrões, são aquilo que a opinião pública decide que elas sejam. É interessante observar como um palavrão pode mudar de caráter ao cruzar uma fronteira. Na Inglaterra, pode-se imprimir "Je m'en fous" sem que ninguém proteste. Na França, tem de se imprimir "Je m'en f...". Outro exemplo: pegue a palavra barnshoot, uma corruptela do termo *hindustâni bahinchut*. Insulto imperdoável na Índia, tornou-se um gracejo gentil na Inglaterra. Já o encontrei num livro didático, numa das peças de Aristófanes, e o comentarista sugeria que era um palavrório de embaixador persa. Presume-se que o comentarista sabia o significado de bahinchut. Mas, como fosse uma palavra estrangeira, havia perdido sua qualidade mágica de palavrão e podia ser impressa.

Outra coisa curiosa sobre uso de palavrões em Londres: os homens não costumam dizê-los na frente das mulheres. Em Paris, é bem diferente. Um trabalhador parisiense pode preferir não falar um palavrão diante de uma mulher, mas não se trata, de forma alguma, de uma questão de escrúpulos, e as próprias mulheres dizem palavrões livremente. Quanto a isso, os londrinos são mais polidos, ou mais melindrosos.

Essas são observações que fiz mais ou menos ao acaso. É uma pena que alguém capaz de tratar do tema não mantenha um anuário das gírias e dos palavrões londrinos, registrando as mudanças com precisão. Isso poderia esclarecer a formação, o desenvolvimento e a obsolescência das palavras.

Capítulo 33

"Ele não tinha comido desde a manhã, caminhara vários quilômetros com uma perna torta, suas roupas estavam encharcadas e meio pêni o separava da inanição. Ainda assim, era capaz de rir da perda de sua navalha. Impossível não admirar uma pessoa assim."

Por cerca de dez dias usei as duas libras que B me deu. O fato de que tenham durado tanto se deve a Paddy, que havia aprendido a ser parcimonioso na rua, e para quem até mesmo uma refeição completa era uma extravagância absurda. Comida, para ele, passara a significar somente pão com margarina – o eterno chá e duas fatias, que enganava a fome por uma ou duas horas. Ele me ensinou a viver, comer, dormir, fumar e todo o resto à razão de meia coroa por dia. E conseguia ganhar uns poucos xelins a mais como flanelinha à noite. Era um trabalho precário, porque ilegal, mas rendia alguma coisa que nos ajudava a esticar nosso dinheiro.

Tentamos certa vez um emprego de homem-sanduíche. Fomos às cinco da manhã a uma ruela atrás de alguns escritórios, mas já havia uma fila de trinta ou quarenta homens à espera, e depois de duas horas nos disseram que não havia trabalho para nós. Não perdemos muito, pois o emprego de homem-sanduíche não é invejável. Ganham uns três xelins por dia, por dez horas de trabalho – um trabalho duro, especialmente quando venta muito, e não há como se esquivar, pois um inspetor passa com frequência para ver se os homens estão no batente. Para agravar a situação, são contratados apenas por um dia ou, às vezes, por três dias, jamais por semana, de tal forma que precisam esperar horas pelo trabalho todas as manhãs. A quantidade de desempregados dispostos a fazer o serviço deixa-os impotentes para lutar por um tratamento melhor. O serviço que todo homem-sanduíche cobiça é distribuir folhetos, pelo qual recebe a mesma coisa. Quando você vir um homem distribuindo folhetos, pode lhe prestar um grande favor aceitando um, pois ele só larga o serviço assim que distribuir todos os impressos.

Continuávamos com nossa vida de hospedarias, uma vida miserável, monótona, de um tédio acachapante. Durante dias seguidos não havia nada a fazer senão sentar na cozinha subterrânea, ler o jornal do dia anterior, ou, quando se conseguia, um número antigo do Union Jack. Chovia muito nessa época e todos que entravam exalavam vapor, de tal modo que a cozinha fedia horrivelmente. A única coisa animadora era o periódico chá e duas fatias. Não sei quantos homens levam essa vida em Londres – devem ser pelo menos milhares. Quanto a Paddy, era na verdade a melhor vida que vinha tendo nos últimos dois anos. Seus interlúdios da vadiagem, os momentos em que conseguira pôr as mãos em alguns xelins, tinham sido todos como esse; a vadiagem propriamente dita fora um pouco pior. Ouvindo sua voz lamurienta – ele sempre se lamuriava, quando não estava comendo –, percebia-se que tortura o desemprego devia ser para ele.

O ser humano se equivoca quando acha que um homem desempregado se preocupa apenas com a perda do salário; ao contrário, um analfabeto, com o hábito do trabalho arraigado, precisa mais de trabalho do que de dinheiro. Um homem instruído consegue aguentar a ociosidade forçada, que é um dos piores males da pobreza. Mas um sujeito como Paddy, sem meios de preencher o tempo, sente-se tão miserável sem trabalho quanto um cão acorrentado. Por isso, é absurdo pretender que se tenha mais piedade daqueles que "decaíram na vida". O homem que realmente merece piedade é aquele que sempre esteve por baixo e encara a pobreza com a cabeça impotente e vazia.

Foi uma fase ruim e pouco restou dela em minha memória, exceto as conversas com Bozo. Uma ocasião, a pensão foi invadida por membros de uma organização religiosa. Paddy e eu havíamos estado fora e, ao voltar à tarde, ouvimos sons musicais no subsolo. Descemos e vimos três pessoas distintas e bem vestidas oficiando um culto religioso na nossa cozinha. Eram um senhor venerável e circunspecto, de sobrecasaca, uma senhora sentada diante de um harmônio portátil e um jovem sem queixo que brincava com um crucifixo. Parece que haviam entrado e começado o culto sem nenhum tipo de convite.

Os albergados não foram nem um pouco rudes com os invasores: simplesmente os ignoraram. Isso foi curioso. De comum acordo, todos que estavam na cozinha – uns cem homens, talvez – agiram como se eles não existissem. Os três intrusos cantavam e pregavam pacientemente, e ninguém lhes dava atenção. O senhor de sobrecasaca fez um sermão, do qual não se escutou uma palavra sequer, abafado que foi pelo usual alarido de canções, palavrões e retinir das panelas. Alguns se sentaram para comer e jogar cartas a um metro do harmônio, ignorando-o tranquilamente. Pouco depois, os visitantes desistiram e foram embora, sem terem sido insultados de nenhuma maneira, mas apenas ignorados. Sem dúvida, se consolaram pensando em como haviam sido corajosos ao se "aventurar livremente no mais degradado dos covis" etc. etc.

Bozo contou que essas pessoas vinham à hospedaria várias vezes por mês. Tinham prestígio junto à polícia, que não os impedia de entrar. É curioso como as pessoas se acham no direito de pregar sermões e rezar por você assim que sua renda cai abaixo de um certo nível.

Depois de nove dias, as duas libras de B. estavam reduzidas a um xelim e nove pence. Paddy e eu separamos dezoito pence para nossa dormida e gastamos três no costumeiro chá-e-duas-fatias, que compartilhamos – mais um aperitivo do que uma refeição. À tarde, estávamos com uma fome danada e Paddy se lembrou de uma igreja próxima da estação de King's Cross, onde davam chá grátis uma vez por semana aos vagabundos. Estávamos no tal dia e decidimos ir até lá. Bozo, embora chovesse e estivesse quase duro, não quis ir, dizendo que as igrejas não faziam o seu estilo.

Uma centena de homens esperava do lado de fora da igreja. Eram, tipos sujos, vindos de bem longe por causa da notícia do chá gratuito, como milhafres ao redor de um búfalo morto. Então as portas se abriram e um pastor e algumas garotas nos conduziram para uma galeria, no alto da igreja. Era uma igreja evangélica, lúgubre e intencionalmente feia, com textos sobre sangue e fogo gravados nas paredes e um hinário contendo 1251 hinos. Depois de ler alguns hinos, concluí que o livro parecia uma antologia de versos ruins. Haveria um culto depois do chá, e a congregação habitual estava sentada no vão da igreja, lá embaixo. Era um dia de semana e havia apenas algumas dezenas de pessoas, na maioria senhoras idosas e magras que lembravam aves depenadas.

Nos sentamos nos bancos da galeria e recebemos nosso chá: ele vinha num pote de geleia de meio quilo, com mais seis fatias de pão com margarina. Assim que terminamos o chá, uns dez vagabundos que haviam ficado perto da porta se escafederam para evitar o culto; o resto ficou, menos por gratidão do que por falta de ousadia para ir embora.

O órgão soltou alguns sons iniciais e o culto começou. Parecendo obedecer a um sinal, os vagabundos começaram a se comportar da forma mais ultrajante. Ninguém imaginaria que tais cenas seriam possíveis numa igreja. Por toda a galeria, os homens se refestelavam nos bancos, riam, tagarelavam, debruçavam-se e jogavam bolinhas de pão na congregação.

Precisei impedir, quase à força, que o sujeito ao meu lado acendesse um cigarro. Os vadios tratavam o culto como um espetáculo cômico. Com efeito, era um culto bastante ridículo – do tipo em que há súbitos gritos de "Aleluia!" e intermináveis orações de improviso –, mas o comportamento deles extrapolava todos os limites. Na congregação, havia um sujeito velho – irmão Bootle, ou coisa parecida – que era chamado muitas vezes para dirigir nossas orações e, sempre que ele se levantava, os vadios começavam a bater os pés, como no teatro. Explicaram que, numa ocasião anterior, ele fizera uma oração de improviso de uns vinte minutos, até que o pastor o interrompeu. Certa vez, quando irmão Bootle se levantou, um vagabundo gritou, tão alto que toda a igreja deve ter escutado: "Aposto dois contra um como você não passa de sete minutos!". Não demorou muito para que estivéssemos fazendo muito mais barulho que o pastor. Às vezes, alguém lá de baixo gritava um "Psiu!" indignado, mas não surtia o menor efeito. Estávamos decididos a fazer troça do culto, e nada nos deteria.

Foi uma situação esquisita e um tanto desagradável. Lá embaixo, um punhado de pessoas simples e bem-intencionadas tentava se entregar ao culto; lá em cima, a centena de homens a quem haviam alimentado tornava deliberadamente impossível o culto. Um círculo de rostos sujos e peludos arreganhava os dentes na galeria, troçando descaradamente. O que aquelas poucas senhoras e homens velhos poderiam fazer contra cem vagabundos hostis? Eles tinham medo de nós, e nós os intimidávamos abertamente. Era nossa vingança por nos terem humilhado ao nos dar de comer.

Parece que o pastor era um homem corajoso. Trovejou sem parar um longo sermão sobre Josué e quase conseguiu ignorar os risos abafados e o falatório lá de cima. Mas no final, talvez irritado demais, anunciou bem alto:

– Dedicarei os últimos cinco minutos de meu sermão aos pecadores sem salvação!

Depois de falar isso, se virou para a galeria e assim permaneceu durante cinco minutos, para que não pairassem dúvidas sobre quem seria salvo e quem não teria salvação. Mas quem se importava? Até mesmo quando nos ameaçava com o fogo do inferno, enrolávamos cigarros e, no último amém, descemos as escadas no maior tumulto, enquanto muitos combinavam voltar para o chá gratuito da semana seguinte.

A cena chamou minha atenção. Era muito diferente do comportamento habitual dos vadios – da gratidão abjeta com que normalmente aceitavam a caridade. A explicação era simples: por estarmos em maior número do que a congregação, não tínhamos medo deles. Um homem que recebe caridade quase sempre odeia seu benfeitor – é uma característica da natureza humana – e demonstra esse ódio quando tem cinquenta ou cem companheiros para apoiá-lo.

Depois do chá grátis, ao anoitecer, Paddy ganhou outros dezoito pence tomando conta de carros. Foi inesperado e era exatamente o necessário para outra noite de hospedagem; reservamos o dinheiro e passamos fome até as nove da noite seguinte. Bozo, que talvez nos desse um pouco de comida, esteve ausente o dia todo. As calçadas estavam molhadas e ele fora ao Elephant and Castle, onde conhecia um ponto coberto. Felizmente, eu ainda tinha um pouco de tabaco, senão o dia poderia ter sido pior.

Paddy me levou ao Embankment, às oito e meia. É que um pastor costumava distribuir vales-refeições uma vez por semana. Sob a ponte da Charing Cross, cinquenta homens esperavam, refletidos nas poças d'água sujas e trêmulas. Alguns eram espécimes realmente estarrecedores, pessoas que dormiam no Embankment, que traz à tona tipos piores que os do albergue. Lembro-me que um deles vestia um sobretudo sem botões, amarrado com uma corda, calças esfarrapadas e calçava botas que expunham os dedos – e nada mais. Tinha a barba de um faquir, e os sulcos negros de sujeira em seu peito e ombros pareciam óleo de trem. O que se podia ver de seu rosto sob a barba e a sujeira era branco como papel, devido a alguma doença maligna. Escutei-o falar: tinha um sotaque bastante bom, como o de um escriturário ou supervisor de loja.

Quando o pastor apareceu, os homens se organizaram em fila por ordem de chegada. Era um jovem gorducho, simpático e, curiosamente, muito parecido com Charlie, meu amigo de Paris. Era tímido e acanhado, e a única coisa que dizia era um breve boa-noite. Simplesmente percorreu a fila de homens e deu um vale para cada um, sem esperar agradecimentos. A consequência foi que, pelo menos por uma vez, houve gratidão sincera e todos disseram que o pastor era um bom sujeito. Alguém (creio que ele escutou) gritou: "Bem, ele nunca vai ser um bispo de m* **. Tratava-se, obviamente, de um caloroso elogio.

Os vales correspondiam a seis pence cada um e podiam ser usados em determinada pensão, não muito distante dali. Ao chegarmos lá, descobrimos que o proprietário trapaceava, servindo apenas o equivalente a quatro pence de comida por vale. É que ele sabia que os indigentes não tinham escolha. Paddy e eu juntamos nossos tíquetes e recebemos uma quantidade de comida que poderíamos ter comprado por sete ou oito pence na maioria dos cafés. O pastor havia distribuído bem mais de uma libra em vales e, portanto, o proprietário evidentemente fraudava os mendigos em sete ou mais xelins por semana. Esse tipo de logro faz parte da vida de um vagabundo e perdurará enquanto as pessoas continuarem a dar vales-refeições em vez de dinheiro.

Retornamos, Paddy e eu, para a hospedaria e, ainda famintos e ficamos à toa na cozinha, tentando substituir a comida pelo calor do fogo. Às dez e meia, Bozo chegou, cansado e abatido, pois sua perna deficiente tornava seu caminhar um sofrimento. Não ganhara um único pêni com seus desenhos, pois todos os pontos cobertos haviam sido tomados, e durante várias horas havia pedido esmola direto, com um olho na polícia. Conseguira reunir oito pence – um a menos que o preço da hospedaria. A hora de pagar já se passara havia muito tempo e ele só conseguira entrar quando o comandante se distraiu. A qualquer momento, poderia ser apanhado e posto na rua, para dormir no Embankment. Bozo tirou suas coisas dos bolsos e examinou-as, tentando escolher o que vender. Decidiu-se pela navalha e mostrou-a pela cozinha; em poucos minutos, vendeu-a por três pence – o suficiente para pagar pela cama, comprar chá e ainda ter meio pêni de sobra.

Bozo pegou sua xícara de chá e sentou-se perto da lareira para secar suas roupas. Enquanto bebia o chá, vi que ria sozinho, como se de uma boa piada. Surpreso, perguntei-lhe por que estava rindo.

– É muito engraçado – respondeu. Digno da Punch. O que você acha que eu fiz?

– O quê?

– Vendi minha navalha sem ter feito a barba antes! Que idiota!

Ele não tinha comido desde a manhã, caminhara vários quilômetros com uma perna torta, suas roupas estavam encharcadas e meio pêni o separava da inanição. Ainda assim, era capaz de rir da perda de sua navalha. Impossível não admirar uma pessoa assim.

Capítulo 34

"Dava impressão de que toda a sua vida era assim – uma rotina de mendicância, bebedeiras e prisões. Ele ria ao falar disso, como se tudo fosse uma tremenda brincadeira."

Com nosso dinheiro no fim, Paddy e eu partimos para um albergue na manhã seguinte. Fomos para o sul pela velha estrada de Kent, na direção de Cromley. Não podíamos ir para um albergue londrino, pois Paddy estivera em um deles recentemente e não queria se arriscar a voltar. Era uma caminhada de 25 quilômetros pelo asfalto que provocava bolhas no pé, e estávamos mortos de fome. Paddy examinava o chão e fazia um estoque de baganas para levar ao albergue. No fim, sua perseverança foi recompensada, pois achou um pêni. Compramos um grande pedaço de pão velho e o devoramos no caminho.

Na hora em que chegamos a Cromley, era muito cedo para irmos ao albergue e caminhamos alguns quilômetros a mais até uma fazenda ao lado de um prado, onde se podia sentar. Era um pouso habitual de mendigos, podia-se concluir pela grama gasta, pelos jornais encharcados e pelas latas enferrujadas que haviam deixado para trás. Outros vadios chegavam sozinhos ou em dupla. Fazia um dia agradável de outono. Nas proximidades, havia um grande canteiro de atanásias-das-boticas, e ainda hoje sinto o odor forte daquelas ervas em luta com o fedor dos mendigos. No prado, dois potros puxadores de carroça de cor castanho-avermelhada, com crina e cauda brancas, mordiscavam um portão. Espalhamo-nos pelo chão, suados e exaustos. Alguém conseguiu achar uns galhos secos e acendeu um fogo, e todos bebemos chá sem leite de um "barril" de lata passado de mão em mão.

Uns sujeitos começaram a contar histórias. Um deles, Bill, era um tipo interessante, um autêntico e robusto mendigo da velha estirpe, forte como Hércules e um franco inimigo do trabalho. Gabava-se de, com sua grande força, ser capaz de obter um emprego de trabalhador braçal na hora que quisesse, mas assim que recebesse o primeiro salário semanal tomaria uma bebedeira monumental e seria despedido. Nos intervalos, mendigava, principalmente de comerciantes. Falava assim:

– Não vou entrar muito em Kent. Kent é um condado difícil, ah, isso é. Tem um monte de gente pedindo por lá. Os * * * dos padeiros de lá preferem jogar o pão fora a dá-lo pra você. Agora,

Oxford, sim, aquilo é que é lugar pra pedir, ah, se é. Quando estive em Oxford, consegui filar pão, filei bacon e carne, e toda noite conseguia meio xelim com os estudantes pra dormir. Na última noite, faltavam dois pence pra pagar a vaga pra dormir, então fui até um vigário e pedi três pence. Ele me deu os três pence e logo depois me denunciou por mendigar. 'Você estava pedindo esmolas', diz o tira. 'Não tava não', eu digo, 'estava perguntando a hora pro cavalheiro.' O tira começa a revistar dentro do meu casaco e tira meio quilo de carne e dois pães. 'Então, o que é isto aqui?', ele diz. 'Acho melhor você vir comigo até a delegacia', diz o tira. O juiz me dá sete dias. Não peço mais dinheiro para a * * * dos vigários. Mas cacete! Que me importa uma cana de sete dias?" etc. etc.

Dava impressão de que toda a sua vida era assim – uma rotina de mendicância, bebedeiras e prisões. Ele ria ao falar disso, como se tudo fosse uma tremenda brincadeira. Pela aparência, parecia ganhar pouco pedindo, pois usava apenas um terno de veludo cotelê, cachecol e boné – sem camisa e sem meias. Mesmo assim, era gordo e alegre, e até cheirava a cerveja, um cheiro bem incomum em um vagabundo hoje em dia.

Dois mendigos contaram uma história de fantasmas. Tinha ocorrido um suicídio lá. Um vagabundo conseguira entrar com uma navalha na cela e cortou a própria garganta. De manhã, quando o Prefeito dos Mendigos passou, o corpo estava encostado na porta e, para abri-la, tiveram de quebrar o braço do morto. Por vingança, o morto passou a assombrar aquela cela e quem dormisse nela podia estar certo de que morreria em menos de um ano. Havia copiosas provas disso, claro. Se a porta de uma cela emperrasse na hora de abrir, você deveria evitá-la como a peste, pois era a cela assombrada.

Dois ex-marujos, contaram outra história incrível. Um homem (juravam que o haviam conhecido) planejara embarcar clandestino em um navio que ia para o Chile e que estava cheio de grandes engradados de madeira com artigos manufaturados. Com a ajuda de um estivador, o clandestino conseguiu se esconder em um dos engradados. Mas o estivador cometeu um erro na ordem em que os engradados deveriam ser empilhados.

O guindaste pegou a caixa do clandestino, suspendeu-a e depositou-a... no lugar mais fundo do porão, embaixo de centenas de engradados. Só descobriram o que acontecera no final da viagem, quando encontraram o clandestino em estado de putrefação, morto por asfixia.

Outro vagabundo contou a história de Gilderoy, o assaltante escocês. Tratava-se de um sujeito condenado à forca que fugiu, capturou o juiz que o sentenciara e (cara fantástico!) o enforcou. É claro que os mendigos gostavam da história, mas o interessante é que a modificaram completamente. Na versão deles, Gilderoy fugia para a América, ao passo que, na realidade, ele foi recapturado e morto. A história havia sido retificada, sem dúvida deliberadamente, assim como as crianças mudam as histórias de Sansão e de Robin Hood, dando-lhes finais felizes imaginários.

Um homem muito velho declarou que a "lei da primeira mordida" era remanescente da época em que os nobres caçavam homens em vez de cervos. Alguns riram dele, mas aquela era uma ideia fixa em sua cabeça. Tinha ouvido falar também das Leis dos Cereais e do jus primae noctis (acreditava que tal coisa havia realmente existido); também ouvira alguma coisa sobre a Grande Rebelião, que achava que era uma revolta dos pobres contra os ricos – talvez fizesse confusão com as revoltas camponesas. Duvido que o velho soubesse ler; com certeza, não estava repetindo artigos de jornais. Seus fragmentos de história haviam passado de geração em geração de andarilhos, em alguns casos talvez durante séculos. Era a tradição oral que continuava, como um débil eco da Idade Média.

Fomos para o albergue às seis da tarde e saímos às dez da manhã. Era bem parecido com Romton e Edbury, e não vimos nenhum fantasma. Entre os albergados estavam dois homens chamados William e Fred, ex-pescadores de Norfolk, uma dupla animada que gostava de cantar. Tinham uma canção chamada "Infeliz Bela", que vale a pena transcrever. Cantaram-na uma meia dúzia de vezes nos dois dias seguintes, e consegui decorá-la, com exceção de um ou dois versos, que esqueci. Era assim:

> *Bella era jovem e Bella era clara,*
> *De olhos azuis e cabelos dourados,*
> *Oh, pobre Bella! Oh, Bella e rara!*
> *Passos eram leves, coração alegre,*
> *Juízo faltava a ela, a pobre Bella.*
> *Em estado interessante ela ficou*
> *Enganada por um cruel canalha.*
> *Bella, era jovem, e não percebeu*
> *O homem vai se casar por dever*
> *Assim achou pobrezinha da mulher*
> *Mas o cruel cafajeste fugiu de vez*
> *Rejeitada pela dona da casa dele:*
> *"Não suje minha porta, sua puta!"*
> *Aflita, Bella enfrentou a nevasca*
> *Oh, infeliz Bella, no frio rejeitada!*
> *Quando a manhã surgiu vermelha,*
> *A infeliz da Bella já estava morta!*
> *Jovem e no leito eterno a coitada!*
> *Ao descer à cova o corpo da Bella,*
> *"A vida é assim" disseram os homens.*
> *As mulheres fizeram coro baixinho:,*
> *"Culpa dos homens, filhos da puta!"*

Vai ver que foi uma mulher quem escreveu.

William e Fred eram malandros completos, do tipo que dá má fama aos mendigos. Ficaram sabendo que o comandante dos Mendigos de Cromley tinha um estoque de roupas velhas que seriam dadas aos albergados necessitados. Antes de entrarem, William e Fred tiraram as botas, descoseram-nas, tiraram pedaços das solas, deixando-as quase destruídas. Então pediram botas e o Prefeito, vendo como as deles estavam ruins, deu-lhes dois pares quase novos. Na manhã seguinte, mal haviam saído do albergue já tinham vendido essas botas por um xelim e nove pence. Para eles, valia a pena deixar suas botas quase inutilizáveis para ganhar um xelim e nove pence.

Depois que deixamos o albergue, iniciamos uma longa e desajeitada procissão para o sul, na direção de Lower Binfield e Ide Hill. No caminho, ocorreu uma briga entre dois mendigos.

Eles haviam discutido durante a noite (o motivo era tolo, um deles falara "bullshit" (asneira) e o outro entendera "bolchevique" – um insulto mortal) e resolveram a parada em campo aberto. Uma dezena de nós parou para assistir. A cena permaneceu gravada na minha memória por uma coisa: o homem que levou o soco desabou no chão e seu boné caiu, revelando cabelos muito brancos. Diante disso, intervimos e paramos a briga. Nesse ínterim, Paddy fizera algumas perguntas e descobriu que o verdadeiro motivo da briga era, como sempre, alguns tostões de comida.

Capítulo 35

"O ar parecia cheirar a rosa amarela, depois do fedor do albergue, um misto de suor, sabão e esgoto. Parecia que nós dois éramos os únicos mendigos na estrada."

Ao chegamos a Lower Binfield ainda era cedo e Paddy aproveitou para pedir trabalho nas portas dos fundos. Em uma casa, deram-lhe algumas caixas para transformar em lenha; ele disse que tinha um parceiro, chamou-me e fizemos o serviço juntos. Quando terminamos, a dona da casa mandou a criada nos dar uma xícara de chá. Lembro do jeito aterrorizado com que ela foi nos levar o chá e depois, perdendo a coragem, largou as xícaras no chão e correu para dentro, trancando-se na cozinha. É assim medonha a palavra "mendigo". Pagaram seis pence a cada um de nós e compramos um pão de três pence e quinze gramas de tabaco, restando-nos cinco pence.

Paddy achou melhor esconder nossas moedas, pois o comandante dos Mendigos de Lower Binfield era um conhecido tirano e poderia não nos aceitar se tivéssemos algum dinheiro. É uma prática bem comum dos mendigos esconder o dinheiro. Quando pretendem entrar no albergue com uma grande quantia, geralmente a costuram nas roupas, o que pode significar prisão, se forem apanhados. Paddy e Bozo costumavam contar uma boa história a esse respeito. Um irlandês (Bozo dizia que era um irlandês; Paddy, que era um inglês) que não era mendigo e que carregava consigo umas trinta libras, viu-se preso numa aldeia onde não conseguiu lugar para dormir. Ele falou com um mendigo, que o aconselhou a ir a um albergue. Se alguém não consegue um leito em outro lugar, é um procedimento comum ir para um albergue, pagando uma quantia razoável por isso. Mas, como o irlandês quis bancar o esperto e conseguir uma cama de graça, apresentou-se no albergue como um indigente. Havia costurado as trinta libras nas roupas. No entanto, o vadio que dera o conselho não perdeu a chance. À noite, pediu ao Prefeito dos Mendigos permissão pra sair mais cedo do albergue na manhã seguinte, pois precisava ver um emprego. Às seis da manhã saiu – vestido com as roupas do Irlandês. O Irlandês queixou-se do roubo e pegou trinta dias de prisão por entrar num albergue com declarações falsas.

Em Lower Binfield, nos esparramamos na relva por um bom tempo, enquanto os moradores nos observavam de seus portões. Um pastor e sua filha se aproximaram e nos olharam em silêncio por um momento, como se fôssemos peixes de aquário, e depois seguiram caminho. Havia dúzias de vadios esperando. William e Fred estavam lá, ainda cantando, e também os homens que haviam brigado, e Bill, o que mendigava direto. Ele andara pedindo em padarias e tinha uma grande quantidade de pão amanhecido enfiada entre o casaco e o corpo nu. Repartiu o pão com todos, e ficamos contentes com isso. Havia uma mulher entre nós, a primeira mendiga que conheci. Era uma mulher gorducha, maltratada e muito suja, de uns sessenta anos, vestida com uma saia preta e comprida que arrastava no chão. Assumia grandes ares de dignidade e se alguém sentasse perto dela torcia o nariz e se afastava. Um dos mendigos perguntou:

– Para onde vai, dona?

A mulher torceu o nariz e olhou para longe.

– Vamos, dona, ânimo, insistiu o mendigo. Fale com a gente. Estamos todos no mesmo barco.

– Obrigada, disse a mulher com desprezo. Quando eu quiser me misturar com um bando de vagabundos, digo

Gostei do jeito como ela falou vagabundos. Parecia revelar em um relance toda a sua alma: uma alma feminina mesquinha, estreita, que não havia aprendido absolutamente nada nos anos passados na rua. Era, sem dúvida, uma viúva respeitável que se tornara mendiga devido a algum acidente grotesco.

O albergue abriu às seis. Era sábado e ficaríamos confinados durante o fim de semana, o que é a prática habitual; por quê, não sei, exceto pela vaga sensação de que o domingo merece ser desagradável. Quando me registrei, declarei que minha profissão era "jornalista". Era mais verdade do que "pintor", pois eu já havia ganhado dinheiro escrevendo artigos em jornais, mas foi uma tolice dizer isso, pois daria margem a perguntas. Assim que entramos no albergue e nos enfileiramos para a revista, o Prefeito dos Mendigos me chamou. Era um homem de uns quarenta anos, rijo, com jeito de militar, que não parecia o tirano que me haviam pintado, mas com uma rispidez de velho soldado. Disse com rispidez:

– Quem de vocês é Fulano? (esqueci o nome que dei).

– Eu, senhor.

– Então você é o jornalista?

– Sim, senhor, respondi tremendo. Algumas perguntas dei-

xariam claro que eu havia mentido, o que poderia significar prisão. Mas o comandante dos mendigos só me olhou de alto a baixo e disse:
— Então é um cavalheiro?
— Acho que sim.
Deu-me outro longo olhar.
— É uma maldita falta de sorte, chefe, disse, uma maldita falta de sorte.

A partir de então, me tratou com um favoritismo injusto e até com uma espécie de deferência. Não me revistou, e no banheiro deu até uma toalha limpa só para mim, um luxo jamais visto, tão poderosa é a palavra "cavalheiro" aos ouvidos de um velho soldado.

Às sete, já havíamos devorado nosso pão com chá e estávamos em nossas celas. Havia uma cela para cada um, com armações de cama e colchões de palha, de tal modo que se esperava uma boa noite de sono. Mas nenhum albergue é perfeito, e a deficiência de Lower Binfield era o frio. Os canos de aquecimento não estavam funcionando e os dois cobertores que ganhamos eram feitos de algodão fino e quase inúteis. Ainda estávamos no outono, mas o frio era cortante. Passamos a longa noite de doze horas virando de um lado para o outro, adormecendo por alguns minutos e acordando com calafrios. Não podíamos fumar, pois o tabaco que havíamos conseguido trazer para dentro estava em nossas roupas, que só nos seriam devolvidas de manhã. Ao longo do corredor podiam-se escutar gemidos e, às vezes, alguma imprecação. Imagino que ninguém teve mais de uma ou duas horas de sono.

Depois do desjejum e da inspeção do médico, o comandante dos mendigos nos reuniu na sala de jantar e trancou a porta. Era uma sala caiada, com piso de pedra, indescritivelmente lúgubre, com mesas e bancos de pinho e cheiro de prisão. As janelas com grades eram altas demais para que se pudesse olhar para fora, e não havia ornamentos, exceto um relógio e uma cópia do regulamento do albergue. Acotovelados nos bancos, já estávamos entediados, embora fossem apenas oito da manhã. Não havia nada para fazer, nada para conversar, nem mesmo espaço para se mexer. O único consolo é que se podia fumar, desde que não fôssemos apanhados no ato. Scotty, um baixinho cabeludo com um sotaque ilegítimo cujo pai era o cockney de Glasgow, estava sem fumo, pois sua lata de baganas tinha caído da bota durante a revista e fora confiscada. Dei-lhe um pouco de fumo para fazer um cigarro e fumamos juntos, furtivamente, enfiando os cigarros no bolso, como escolares, quando ouvíamos o Prefeito dos Mendigos se aproximando.

A maioria dos mendigos passou dez horas contínuas nessa sala triste e desconfortável. Só Deus sabe como conseguiram aguentar. Tive mais sorte que os outros, pois às dez da manhã o Prefeito dos Mendigos chamou alguns homens para fazer serviços variados e me escolheu para ajudar na cozinha, o trabalho mais cobiçado. Esse favoritismo, assim como a toalha limpa, era um efeito do sortilégio da palavra "cavalheiro".

Entrei sorrateiramente no pequeno barracão usado para guardar batatas, onde alguns indigentes que moravam no albergue estavam escondidos para fugir ao trabalho da manhã de domingo. Havia alguns caixotes confortáveis para sentar, vários números antigos do Family Herald e até um exemplar de Raffles da biblioteca do albergue. Os indigentes contaram coisas interessantes sobre a vida no albergue. Entre outras coisas, me disseram que o que mais odiavam era o uniforme, um estigma da caridade; se pudessem usar suas roupas ou, ao menos, os bonés e cachecóis, não se importariam de viver ali. Meu almoço foi o mesmo do albergue, uma refeição adequada a uma jiboia – a maior que tive desde meu primeiro dia no hotel X. Os albergados disseram que se empanturravam habitualmente aos domingos e que eram mal alimentados no restante da semana. Depois do almoço, o cozinheiro me mandou lavar os pratos e jogar fora os restos de comida. O desperdício era espantoso e, naquelas circunstâncias, estarrecedor. Pedaços de carne comidos pela metade, baldes de pães partidos e verduras eram jogados fora com outros detritos e depois misturados com folhas de chá. Enchi cinco latas de lixo até a borda com comida bastante aproveitável. E enquanto eu fazia isso, cinquenta mendigos estavam sentados no albergue de passagem, com os estômagos meio vazios depois do almoço de pão e queijo e, talvez, duas batatas cozidas frias, em honra ao domingo. De acordo com os moradores do albergue, a comida era jogada fora deliberadamente, para não ser dada aos mendigos.

Voltei para o albergue às três. Os mendigos haviam ficado sentados desde as oito, sem espaço nem para mexer os braços, e agora estavam quase enlouquecidos de tédio. Até o fumo estava no fim, pois ele vem das baganas recolhidas e acaba se eles ficam mais de algumas horas longe das calçadas. A maioria estava entediada até mesmo para conversar; eles ficavam simplesmente se acotovelando nos bancos, olhando para o vazio, com os rostos raquíticos divididos em dois por enormes bocejos. A sala fedia.

Paddy, com dor nas costas por causa do banco duro, estava lamuriento e, para passar o tempo, conversei com um mendigo de ar um tanto superior, um jovem carpinteiro de colarinho e gravata que estava na rua, disse ele, por falta de caixa de ferramentas. Mantinha-se um pouco afastado dos outros mendigos e se comportava mais como um homem livre do que como um indigente. Também tinha gosto literário e trazia um exemplar de Quentin Durward no bolso. Contou-me que nunca entrava num albergue, a não ser levado pela fome, preferindo dormir embaixo de cercas vivas ou atrás de arbustos. Ao longo da costa sul, havia pedido esmolas no decorrer do dia e dormido à noite nas barracas dos banhistas durante semanas.

Falamos da vida na estrada. Ele criticou o sistema que fazia os mendigos passarem catorze horas no albergue e as outras dez caminhando e driblando a polícia. Falou de seu próprio caso: seis meses às custas dos cofres públicos por falta de ferramentas que custavam poucas libras. Era uma idiotice, dizia.

Então, contei-lhe sobre o desperdício de comida na cozinha do albergue e o que eu pensava disso. E ele mudou imediatamente de tom. Vi que eu havia despertado nele o *pew-renter* que há em todo trabalhador inglês. Embora tivesse passado fome como os outros, de imediato viu boas razões para jogar a comida fora, em vez de dar aos mendigos. Me deu uma bronca severa.

– Eles têm de fazer isso, disse ele. Se tornarem esses lugares confortáveis demais, toda a escória do país virá para cá. É somente a comida ruim que mantém essa escória longe.

Esses mendigos aqui são preguiçosos demais para trabalhar, esse é o problema deles. Você não vai querer encorajá-los. São uma escória.

Apresentei argumentos para provar que ele estava errado, mas ele não me deu ouvidos. Continuava repetindo:

– Você não vai querer ter piedade desses mendigos aqui – escória, isso é o que eles são. Não se pode julgá-los pelos mesmos padrões de homens como você e eu. Eles são escória, só escória.

Era interessante ver o modo sutil como ele se dissociava "desses mendigos aqui". Estava na estrada havia seis meses, mas aos olhos de Deus, parecia dizer, não era um mendigo. Imagino que exista um bom número de mendigos que agradecem a Deus por não ser mendigos. São como os turistas que dizem coisas mordazes sobre turistas.

Três horas se arrastaram. Às seis, chegou o jantar, que se revelou bem intragável: o pão, já meio duro de manhã (fora cortado em fatias no sábado à noite), agora estava duro como bolacha de navio. Felizmente, vinha com gordura animal em cima: raspamos a gordura e a comemos pura, o que era melhor do que nada. Às seis e quinze, fomos mandados para a cama. Novos mendigos haviam chegado e, para não misturá-los com os que já estavam lá (por medo de doenças infecciosas), os recém-chegados foram postos em celas, e nós, em dormitórios. Nosso dormitório parecia um estábulo, com trinta camas colocadas bem juntas umas das outras e uma tina que servia de urinol coletivo. Fedia abominavelmente e os homens mais velhos tossiram e se levantaram a noite inteira. Mas tantos homens juntos mantinham o quarto quente e conseguimos dormir um pouco.

Às dez da manhã nos dispersamos, depois de uma nova inspeção médica, com um pedaço de pão e queijo para o almoço. William e Fred, poderosos proprietários de um xelim, empalaram seus pães na grade do albergue – em protesto, disseram. Aquele era o segundo albergue em Kent em que o tempo havia esquentado demais para eles, que se divertiam com isso. Eram sujeitos animados, para mendigos. O imbecil (há sempre um imbecil em cada grupo de mendigos) disse que estava cansado demais para caminhar e se agarrou à cerca, e o Prefeito dos

Mendigos teve de arrancá-lo de lá e dar-lhe a partida com um chute. Paddy e eu rumamos para o norte, em direção a Londres. A maioria dos outros ia para Ide Hill, considerado o pior albergue da Inglaterra.

Fazia um tempo agradável de outono e a estrada estava calma, com poucos carros passando. O ar parecia cheirar a rosa amarela, depois do fedor do albergue, um misto de suor, sabão e esgoto. Parecia que nós dois éramos os únicos mendigos na estrada. Então escutei passos apressados atrás de nós e alguém nos chamando. Era Scotty, o baixinho de Glasgow, que vinha correndo, ofegante. Tirou uma lata enferrujada do bolso. Tinha um sorriso cordial, como o de alguém que está retribuindo um favor.

– Aqui está, companheiro", disse, afável. Devo-lhe algumas baganas. Você me deu fumo ontem. O Prefeito dos Mendigos devolveu minha caixa de baganas quando saímos esta manhã. Um favor paga o outro – aqui está.

E pôs na minha mão quatro pontas de cigarro encharcadas, estragadas, nojentas.

Capítulo 36

"...OS MENDIGOS NÃO SERIAM UM PESO MORTO MAIOR DO QUE JÁ SÃO, POIS NO SISTEMA ATUAL, ALÉM DE NÃO TRABALHAREM, ELES VIVEM SOB UMA DIETA QUE ACABA POR DESTRUIR SUA SAÚDE; DESSE MODO, O SISTEMA PERDE NÃO APENAS VIDAS, MAS TAMBÉM DINHEIRO."

Mendigos são um produto curioso sobre o qual vale a pena refletir. É estranho que uma tribo de homens como essa, composta de dezenas de milhares deles, esteja caminhando por toda a Inglaterra, como judeus errantes.

Embora o caso mereça ser analisado, não se pode nem começar a examiná-lo enquanto não nos livrarmos de certos preconceitos. Esses preconceitos estão enraizados na ideia de que todo mendigo, *ipso facto*, é um patife. Na infância, nos ensinaram que eles são canalhas, e em consequência disso existe em nossa mente uma espécie de mendigo ideal ou típico – uma criatura repulsiva e perigosa que prefere morrer a trabalhar ou se lavar, e que nada mais quer senão pedir, beber e roubar galinhas. Esse mendigo-monstro é tão irreal quanto o chinês sinistro das histórias policiais, mas é muito difícil se desfazer dessa ideia. A própria palavra "vagabundo" remete a essa imagem. E a crença nela obscurece as verdadeiras questões da vida na rua.

Uma questão fundamental sobre o problema: por que existem mendigos? É curioso, mas poucos sabem o que leva um mendigo para a estrada. E, em virtude da crença no mendigo-monstro, as mais fantásticas razões são sugeridas. Diz-se, por exemplo, que eles levam uma vida errante apenas para fugir do trabalho, para mendigar com mais facilidade, para procurar oportunidades para o crime e até – a menos provável das razões – porque gostam dessa vida. Já li em um livro de criminologia que os mendigos são uma manifestação de atavismo, uma volta ao estágio nômade da humanidade. Enquanto isso, o motivo óbvio da vagabundagem dos mendigos está na cara. É claro que o mendigo não representa um atavismo nômade – senão se poderia dizer que um caixeiro viajante também seria um sinal de atavismo. O mendigo não vagabundeia porque gosta, mas pelo mesmo motivo que, na Inglaterra, um carro deve se manter à direita na pista: há uma lei que o obriga a isso. Um homem miserável, se não for sustentado pela paróquia, só pode obter ajuda nos albergues de passagem, e como cada albergue desses só pode aceitá-lo por uma noite, ele é obrigado a se manter em movimento. Ele é vagabundo porque, segundo a lei, ou faz isso, ou morre de fome. Mas as pessoas cresceram acreditando no mendigo mau e preferem pensar que deve haver algum motivo mais ou menos vil para a vagabundagem.

Muito pouco do mendigo mau sobreviverá a uma investigação. Tomemos a ideia geralmente aceita de que são tipos perigosos. Mesmo sem levar em conta a experiência, pode-se dizer que poucos vagabundos são perigosos, porque, se o fossem, seriam tratados como tais. Os albergues admitem, com frequência, cem mendigos numa noite, e não têm mais do que três funcionários para cuidar deles. Cem rufiões não poderiam ser controlados por três homens desarmados.

Quando vemos como os mendigos se deixam ser maltratados pelos funcionários dos albergues, fica óbvio que não pode haver criaturas mais dóceis e alquebradas. Ou consideremos a ideia de que todos os mendigos são beberrões – uma ideia ridícula diante dos fatos. Sem dúvida, muitos mendigos beberiam se pudessem, mas a realidade lhes nega essa oportunidade.

Uma clara substância líquida chamada cerveja custa sete pence a caneca, na Inglaterra atual. Para se embebedar, seria preciso pelo menos meia coroa, e um homem que possui essa quantia dificilmente seria um mendigo. A ideia de que são descarados parasitas sociais ("mendigos inveterados") não é totalmente infundada, mas só vale para uma pequena porcentagem dos casos. O parasitismo cínico, deliberado, como o que se lê nos livros de Jack London sobre a vagabundagem americana, não está no caráter inglês. Os ingleses constituem uma raça dominada pela consciência, com um forte sentimento de pecado a respeito da pobreza. Não se pode imaginar o inglês médio tornando-se um parasita de forma deliberada, e esse caráter nacional não muda necessariamente porque uma pessoa fica desempregada. Com efeito, se lembrarmos que um mendigo é apenas um inglês desempregado, forçado pela lei a viver como um vagabundo, então o mendigo-monstro se desfaz. Naturalmente, não estou dizendo que a maioria dos mendigos é composta de tipos ideais; digo apenas que são seres humanos comuns, e se são piores do que outras pessoas, isso é o resultado, e não a causa, de seu modo de vida.

A postura do tipo "esses desgraçados têm o que merecem", normalmente assumida diante dos mendigos, não é mais justa do que seria diante de aleijados ou inválidos. Quando nos damos conta disso, começamos a nos colocar no lugar de um mendigo e a compreender como é a sua vida. Ela é extraordinariamente vã e terrivelmente desagradável.

Descrevi os albergues de indigentes – a rotina diária do mendigo –, mas há três males especiais sobre os quais preciso insistir. O primeiro é a fome, que é o destino de quase todos os mendigos. O albergue lhes dá uma ração que provavelmente nem é planejada para ser suficiente, e qualquer outra coisa tem de ser obtida por meio da mendicância – ou seja, violando a lei. O resultado é que quase todos os vagabundos são corroídos pela desnutrição; para provar isso, basta olhar para os homens enfileirados do lado de fora de um albergue. O segundo grande mal da vida do mendigo – parece muito menor à primeira vista, mas merece a classificação – é que ele está totalmente isolado do contato com mulheres. Essa questão merece ser desenvolvida.

Eles vivem afastados das mulheres, em primeiro lugar, porque há muito poucas mulheres nessa camada da sociedade. Talvez se pudesse imaginar que, entre as pessoas miseráveis, haveria o mesmo equilíbrio de sexo que há em outros setores. Mas não é assim; na verdade, pode-se quase afirmar que, abaixo de certo nível, a sociedade é inteiramente masculina. Os dados seguintes, publicados pelo Conselho do Condado de Londres (CCL) com base em um censo noturno feito no dia 13 de fevereiro de 1931, mostram uma comparação entre o número de homens e mulheres indigentes:

Passando a noite na rua: 60 homens, 18 mulheres. Nos abrigos e casas não registradas como hospedarias: 1057 homens, 137 mulheres. Na cripta da igreja de St Martin's-in-the--Fields: 88 homens, 12 mulheres. Nos albergues e hospedarias do CCL: 674 homens, 15 mulheres.

Observamos, por esses dados, no que diz respeito a necessitar de caridade, os homens superam as mulheres na proporção de dez para uma. A causa disso é que, provavelmente, o desemprego afeta menos as mulheres do que os homens; além disso, qualquer mulher de aspecto apresentável pode, como último recurso, ligar-se a algum homem. Para o mendigo, o resultado é a condenação ao perpétuo celibato. Obviamente, não é preciso dizer que, se um vagabundo não encontra mulher em sua camada, aquelas que estão acima – mesmo que apenas um pouquinho – ficam tão fora de seu alcance quanto a Lua. Não vale a pena discutir as razões disso, mas sem dúvida as mulheres jamais, ou quase nunca, aceitam homens muito mais pobres do que elas. Portanto, o vagabundo está condenado ao celibato assim que pega a estrada. Não tem esperança nenhuma de conseguir uma esposa, uma amante ou qualquer tipo de mulher, exceto – o que é muito raro, apenas quando consegue juntar alguns xelins – uma prostituta.

Consequências disso são evidentes: homossexualismo, por exemplo, e casos ocasionais de estupro. Porém, mais profunda do que isso é a degradação causada em um homem que sabe que não é considerado apto nem para casar. O impulso sexual, sem exagero, é um impulso fundamental, e sua míngua pode ser quase tão desmoralizadora quanto a fome física. O mal da pobreza não está tanto no sofrimento que impõe ao homem, mas no apodrecimento físico e espiritual que provoca. E não há dúvida de que a carência sexual contribui para esse processo de decomposição. Sem acesso a nenhum tipo de mulher, o mendigo se sente rebaixado à posição de um inválido ou de um louco. Nenhuma humilhação pode causar mais dano à autoestima de um homem.

O outro grande mal da vida de um mendigo é a ociosidade forçada. Pelas leis que regulam a vagabundagem, as coisas se dão de tal modo que, quando ele não está caminhando por uma estrada, está sentado numa cela; ou, nos intervalos, deitado no chão, esperando a abertura do albergue. É óbvio que isso é um modo de vida sombrio e desmoralizador, em especial para um homem sem instrução.

Além desses males, seria possível enumerar muitos outros menores – para citar apenas um, o desconforto, que é inseparável da vida na rua. Vale a pena lembrar que os mendigos, em geral, não possuem roupas, exceto as que vestem, usam botas que não cabem direito em seus pés e não sentam em uma cadeira por meses a fio. Mas a questão fundamental é que seus sofrimentos são totalmente em vão. Levam uma vida fantasticamente desagradável e sem nenhum propósito.

Imaginem uma rotina mais inútil do que caminhar de prisão em prisão, gastando talvez dezoito horas por dia numa cela e na estrada. Deve haver ao menos dezenas de milhares de vagabundos na Inglaterra. Diariamente, eles gastam uma energia considerável – o suficiente para arar milhares de hectares, construir quilômetros de estradas, erguer dúzias de casas – em simples e inúteis caminhadas.

Todos os dias desperdiçam em conjunto cerca de dez anos olhando para paredes de celas. Custam ao país pelo menos uma libra por semana por homem, e não dão nada em troca. Andam sem parar, numa dança das cadeiras interminável, tediosa e inútil que, na verdade, foi criada para não ter nenhuma utilidade. A lei mantém esse processo em curso, e já nos acostumamos a ele de tal forma que não nos surpreendemos. Mas é uma coisa muito estúpida.

Diante da inutilidade da vida de um vagabundo, a questão é se é possível fazer algo para melhorá-la. É óbvio que seria possível, por exemplo, tornar os albergues um pouco mais habitáveis, e isso de fato vem sendo feito em alguns casos. No ano passado, alguns sofreram melhorias – a ponto de não se reconhecê-los, a dar crédito aos relatos –, e fala-se em fazer o mesmo com todos. Mas isso não toca no cerne do problema, que é: como transformar um vagabundo entediado e semivivo em um ser humano com autoestima? Um mero aumento do conforto não faz isso. Mesmo que os albergues se tornassem luxuosos (o que jamais acontecerá), a vida de um mendigo ainda estaria sendo desperdiçada. Ele continuaria a ser um indigente, afastado do casamento e da vida familiar, e um peso morto para a comunidade. O que é preciso é tirá-lo da miséria, e isso só pode ser feito dando-lhe um emprego – não um trabalho pelo trabalho, mas algo de cujo benefício ele possa desfrutar.

Na grande maioria dos albergues, os mendigos não fazem nada agora. Houve época em que os mandavam quebrar pedras em troca de comida, mas isso acabou depois que o excesso de produção de pedras causou o desemprego de trabalhadores do setor. Hoje em dia, os mendigos são mantidos na ociosidade porque parece não haver nada que eles possam fazer.

Mas há uma maneira bem óbvia de transformá-los em pessoas úteis: cada albergue poderia manter uma pequena fazenda, ou pelo menos uma horta, e todos os mendigos fisicamente aptos que ali se apresentassem poderiam cumprir um dia de trabalho útil. O produto da fazenda ou da horta poderia ser usado para alimentar os mendigos e, na pior das hipóteses, isso seria melhor do que a sórdida dieta de pão com margarina e chá. Claro que os albergues não conseguiriam ser autossuficientes, mas poderiam percorrer um bom caminho nessa direção e, a longo prazo, os impostos provavelmente se beneficiariam disso.

Vamos lembrar que os mendigos não seriam um peso morto maior do que já são, pois no sistema atual, além de não trabalharem, eles vivem sob uma dieta que acaba por destruir sua saúde; desse modo, o sistema perde não apenas vidas, mas também dinheiro. Valeria a pena tentar um plano que os alimentasse decentemente e os fizesse produzir pelo menos parte de sua comida.

Podemos argumentar que uma fazenda, ou mesmo uma horta, não poderia ser tocada com o trabalho dos mendigos de passagem. Mas não há nenhum motivo para que eles fiquem apenas um dia em cada albergue; poderiam ficar um mês, ou mesmo um ano, se houvesse trabalho para ser feito. A circulação constante de vagabundos é algo bastante artificial.

Atualmente, a manutenção dos mendigos depende dos impostos locais e, portanto, o objetivo de cada albergue é empurrá-lo para o vizinho; daí a regra da permanência por apenas uma noite. Se ele voltar em menos de um mês, é punido com confinamento de uma semana e, como isso é o mesmo que ir para a prisão, o mendigo naturalmente prefere a estrada. Mas se representasse mão de obra para o albergue e o albergue representasse comida saudável para ele, a coisa seria outra.

Os albergues se tornariam instituições meio autossustentáveis e os mendigos, estabelecendo-se aqui ou acolá, conforme seu trabalho fosse necessário, deixariam de ser vagabundos. Fariam algo comparativamente útil, teriam comida decente e levariam uma vida sedentária. Aos poucos, se o programa desse certo, poderiam até deixar de ser vistos como indigentes e ter condições de se casar e assumir um lugar respeitável na sociedade.

Trata-se apenas do esboço de uma ideia, que encontra algumas objeções óbvias. É uma sugestão de como melhorar a condição dos mendigos sem impor mais ônus às localidades. De qualquer modo, a solução deve ser algo desse tipo. Pois a questão é: o que fazer com homens subnutridos e ociosos? E a resposta – fazê-los plantar sua própria comida – se impõe automaticamente.

Capítulo 37

"Pelo menos 15 mil pessoas em Londres vivem em hospedarias públicas. Para um homem solteiro que ganha duas libras por semana, a hospedaria é uma grande conveniência. Dificilmente conseguiria um quarto mobiliado tão barato, e a hospedaria lhe dá fogão de graça, um banheiro sofrível e muita vida social."

Agora vou descrever as acomodações para dormir à disposição dos sem-teto em Londres. Atualmente, é impossível conseguir uma cama em qualquer instituição não caritativa de Londres por menos de sete pence por noite. Se você não puder pagar isso, terá de se conformar com uma das seguintes opções.

O Embankment. Eis um relato que Paddy me fez sobre dormir no Embankment:

—O problema todo do Embankment é conseguir dormir cedo. Precisa estar no seu banco lá pelas oito horas, porque não tem muitos bancos e às vezes eles estão todos ocupados. E tem de tentar dormir logo. Faz muito frio para dormir depois da meia-noite, e a polícia bota a gente pra fora às quatro da matina. Não é fácil dormir com aqueles malditos bondes passando por cima da cabeça da gente o tempo todo e com os letreiros luminosos do outro lado do rio acendendo e apagando nos olhos da gente. O frio é cruel. O pessoal que dorme lá geralmente se enrola em jornal, mas não adianta muito. Você tem uma puta sorte se conseguir dormir umas três horas.

Já fiquei no Embankment e vi que correspondia à descrição de Paddy. Mas é muito melhor do que não dormir nada, que é o que o espera se você passar a noite nas ruas em qualquer lugar que não seja o Embankment. De acordo com a lei londrina, você pode passar a noite sentado, mas a polícia deve mandá-lo circular se o apanhar dormindo. O Embankment e mais um ou dois cantos (há um atrás do Lyceum Theatre) são exceções especiais. Essa lei, evidentemente, é de uma odiosidade intencional. Seu objetivo, dizem, é evitar que as pessoas morram ao relento; mas é óbvio que se um homem sem teto tiver que morrer de frio, vai morrer dormindo ou acordado. Em Paris, não existe lei assim. Lá, as pessoas dormem aos magotes embaixo das pontes do Sena, nos vãos das portas, nos bancos das praças, ao redor dos poços de ventilação do metrô e até dentro das estações de metrô. Isso não causa nenhum dano aparente. Ninguém passará a noite na rua se puder evitá-lo, e se a pessoa vai ficar na rua, deve-se permitir que ela durma, se conseguir.

O Twopenny Hangover [cabide de dois pence]. Está num nível um pouco acima doEmbankment. Os hóspedes sentam-

-se lado a lado em um banco; há uma corda na frente deles, sobre a qual se inclinam como se estivessem inclinados sobre uma cerca. Um homem, chamado jocosamente de "camareiro", corta a corda às cinco da manhã. Nunca estive lá, mas Bozo costumava frequentá-lo. Perguntei a ele se alguém conseguia dormir naquela posição e ele disse que era mais confortável do que parecia – de qualquer modo, melhor do que o chão duro. Há abrigos semelhantes em Paris, mas lá o preço é de apenas 25 cêntimos (meio pêni), em vez de dois pence.

O Coffin [caixão], a quatro pence por noite. Dormem numa caixa de madeira, com uma lona servindo de coberta. É muito frio e o pior são os percevejos, dos quais, por você estar fechado numa caixa, não tem como escapar.

Há também as hospedarias públicas, com preços que variam entre sete pence e um xelim e um pêni por noite. As melhores são as Rowton Houses, onde se cobra um xelim por um cubículo individual e pelo uso de excelentes banheiros. Pode-se pagar também meia coroa por um "especial", que é praticamente uma acomodação de hotel. As Rowton Houses são prédios esplêndidos e seu único senão é a disciplina rígida, com regras contra cozinhar, jogar cartas etc. A melhor propaganda das Rowton Houses talvez seja o fato de que estão sempre superlotadas. As Bruce Houses, a um xelim e um pêni, também são excelentes.

Quanto à qualidade e limpeza, vêm os albergues do Exército de Salvação, a sete ou oito pence. Eles variam (estive em um ou dois que eram tão sujos quanto hospedarias públicas ordinárias), mas a maioria é limpa e tem bons banheiros; é preciso, no entanto, pagar o banho à parte. É possível obter um cubículo por um xelim. Nos dormitórios de oito pence, as camas são confortáveis, mas são tantas (em geral, pelo menos quarenta por quarto) e tão perto umas das outras que é impossível ter uma noite sossegada. As numerosas restrições cheiram a prisão e asilo. Os albergues do Exército de Salvação agradam somente às pessoas que põem a limpeza acima de tudo.

Temos também as hospedarias públicas ordinárias. Quer se paguem sete pence ou um xelim, são todas abafadas e barulhentas, e as camas são sempre sujas e desconfortáveis. O que as redime é a atmosfera de laissez-faire e as cozinhas quentes e caseiras onde se pode ficar a qualquer hora do dia ou da noite. São cubículos imundos, mas que possibilitam algum tipo de vida social. Dizem que as pensões para mulheres costumam ser piores do que as para homens, e há poucas casas com acomodações para casais. Na verdade, não é incomum um sem-teto dormir numa hospedaria e sua mulher em outra.

Pelo menos 15 mil pessoas em Londres vivem em hospedarias públicas. Para um homem solteiro que ganha duas libras por semana, a hospedaria é uma grande conveniência. Dificilmente conseguiria um quarto mobiliado tão barato, e a hospedaria lhe dá fogão de graça, um banheiro sofrível e muita vida social. Quanto à sujeira, é um mal menor. O grande defeito das hospedarias é que são lugares em que se paga para dormir e onde um sono profundo é impossível. Tudo o que se obtém em troca do dinheiro é uma cama de 1,77 por 0,75 metro, com um colchão duro e convexo e um travesseiro que mais parece um bloco de madeira, coberto por uma colcha de algodão e dois lençóis encardidos e fedorentos. No inverno, há cobertores, mas nunca o suficiente. E essa cama fica num quarto onde nunca há menos de cinco e, às vezes, cinquenta ou sessenta camas, a um ou dois metros umas das outras. É claro que ninguém pode dormir profundamente nessas circunstâncias.

Os únicos lugares, além desses, em que as pessoas são arrebanhadas assim são as casernas e os hospitais. Nas enfermarias de um hospital, ninguém espera dormir bem. Nas casernas, os soldados ficam apertados, mas têm boas camas e são saudáveis; numa hospedaria pública, quase todos os hóspedes têm tosse crônica, e um grande número deles sofre de doenças da bexiga, o que os faz levantar o tempo todo durante a noite. O resultado é uma balbúrdia incessante que torna o sono impossível. Tanto quanto pude observar, numa hospedaria pública ninguém dorme mais do que cinco horas por noite – um logro abominável quando se pagaram sete pence ou mais por ela.

Poderiam existir leis sobre isso. Atualmente, há vários regulamentos do Conselho do Condado de Londres (CCL) sobre hospedarias, mas eles não são feitos para atender aos interesses dos hóspedes. O CCL só se empenha em proibir bebidas, jogos, brigas etc. etc. Não há lei que diga que as camas devam ser confortáveis. Isso seria uma coisa bem fácil de fazer cumprir – muito mais fácil, por exemplo, do que as restrições ao jogo. Os zeladores das hospedarias deveriam ser obrigados a oferecer roupas de cama adequadas, colchões melhores e, sobretudo, dividir seus dormitórios em cubículos. Não importa quão pequeno seja o cubículo, o importante é que um homem deveria ficar sozinho quando dorme. Essas poucas mudanças, devidamente impostas, fariam enorme diferença.

Não parece impossível tornar uma hospedaria razoavelmente confortável aos preços atuais. Na hospedaria municipal de Croydon, onde cobram apenas nove pence, há pequenos compartimentos, boas camas, cadeiras (um luxo raro nas hospedarias) e cozinhas ao rés do chão, em vez de no porão. Não há motivo para que todas as hospedarias de nove pence não obedeçam a esse padrão.

É claro que os donos das hospedarias se oporiam em peso a qualquer melhoria, já que, do modo como está, seu negócio é imensamente lucrativo. Uma hospedaria média fatura cinco ou dez libras por noite, sem calotes (é proibido fiar) e, com exceção do aluguel, as despesas são poucas. Qualquer melhoria significaria menor quantidade de hóspedes e, portanto, menor lucro. Ainda assim, a excelente hospedaria municipal de Croydon mostra como alguém pode ser bem atendido por nove pence. Umas poucas leis bem orientadas poderiam estender essas condições a todas as hospedarias. Se as autoridades passarem a se preocupar com as hospedarias, terão de começar por torná-las mais confortáveis, sem impor restrições tolas que jamais seriam toleradas em um hotel.

Capítulo 38

"É UMA HISTÓRIA BEM TRIVIAL, E SÓ POSSO ESPERAR QUE TENHA SIDO INTERESSANTE DA MESMA FORMA QUE UM DIÁRIO DE VIAGEM É INTERESSANTE. POSSO PELO MENOS DIZER: AQUI ESTÁ O MUNDO QUE ESPERA POR VOCÊ, SE VOCÊ ESTIVER SEM UM TOSTÃO."

Quando saímos do abrigo de Lower Binfield, Paddy e eu ganhamos meia coroa para capinar e varrer um jardim, passamos a noite em Cromley e caminhamos de volta para Londres. Separei-me de Paddy um ou dois dias mais tarde. B. emprestou-me mais duas libras e, como sobravam apenas oito dias para eu esperar, aquilo foi o fim dos meus problemas. Meu dócil imbecil revelou-se pior do que eu havia imaginado, mas não o suficiente para me fazer desejar voltar aos albergues ou ao Auberge de Jehan Cottard.

Paddy foi para Portsmouth, onde tinha um amigo que poderia encontrar um trabalho para ele, e nunca mais o vi. Recentemente me contaram que ele foi atropelado e morreu, mas talvez meu informante o tenha confundido com outra pessoa. Tive notícias de Bozo há apenas três dias. Está na prisão de Wandsworth – catorze dias por esmolar. Não creio que a prisão o ipreocupe muito.

Minha história termina aqui. É uma história bem trivial, e só posso esperar que tenha sido interessante da mesma forma que um diário de viagem é interessante. Posso pelo menos dizer: Aqui está o mundo que espera por você, se você estiver sem um tostão. Um dia quero explorar esse mundo mais profundamente.

Eu gostaria de conhecer pessoas como Mario e Paddy e Bill, o pedinte, não de encontros casuais, mas intimamente; Eu gostaria de entender o que realmente se passa nas almas dos *plongeurs* e vagabundos de Embankment. Sinto que não vi mais do que a orla da pobreza. Ainda assim, posso apontar uma ou duas coisas que definitivamente aprendi.

Nunca mais pensarei que todos os vagabundos são canalhas bêbados, nem esperarei que um mendigo seja grato quando eu lhe der um centavo, nem ficarei surpreso se homens desempregados não tiverem energia para se inscreverem no Exército de Salvação , nem para penhorar roupas, nem recusar um folheto, nem desfrutar de uma refeição em um restaurante elegante. Isso é um começo.